Adevărata Natură a lui Dumnezeu

Importanța și Beneficiile Înțelegerii Caracterului lui Dumnezeu

de
Andrew Wommack

Cu excepția cazurilor în care este indicat altfel, toate citatele Scripturii sunt luate din versiunea Noua Traducere în limba Română a Bibliei.

Titlul în engleză: The True Nature of God
ISBN: 978-1-906241-47-6

Adevărata natură a lui Dumnezeu
Importanța şi beneficiile înțelegerii caracterului lui Dumnezeu
ISBN: 978-1-908529-19-0

P.O. Box 4392, Walsall WS1 9AR, England
Website: www.awme.net

De asemenea disponibilă în alte limbi de pe site-ul awme.net

Traducerea şi corectarea: Daniel şi Diana Boziean

Tipărit în Ungaria.

Cuprinsul

Introducere

Știați că dacă o persoană L-ar cunoaște cu adevărat pe Dumnezeu și L-ar înțelege pe Dumnezeu ca Tatăl minunat care este, nu ar mai avea nici o dificultate în a-L crede sau a crede Cuvântul Lui?

A fost pus mult accent în corpul lui Cristos în ultimii ani pe învățătura despre credință și despre a confesa Cuvântul Lui, pentru a aduce credința. Eu cred în a vorbi ceea ce Cuvântul lui Dumnezeu spune, și credincioșii trebuie să aibă credință în Dumnezeu, dar în același timp cred că marea majoritate a celor dintre noi au trecut cu vederea un aspect cheie, foarte important.

Să ai credință în cineva înseamnă să dezvolți relația ta cu el până la punctul în care îl cunoști atât de bine că te încrezi complet în el.

Un prieten de-al meu care e pastor mi-a spus odată că în timp ce o căra în spate pe fetița lui, ea nu trebuia niciodată să zică: " Proclam cu gura mea și cred în inima mea că tatăl meu nu mă va scăpa. Și proclam cu gura și cred în inima mea că tata o să îmi dea de mâncare." Pentru acea fiică, nu e nici o luptă să creadă că tatăl ei o să fie bun cu ea. Ea doar se odihnește și se relaxează în relația ei de dragoste cu el. Ea știe că el va avea grijă de ea, pentru că ea îl cunoaște pe el și îi cunoaște caracterul.

În același fel, creștinii vor constata că e ușor să aibă credință că Dumnezeu se va îngriji de nevoile lor, atunci când pur și simplu ajung să-L cunoască mai mult. Și din moment ce tot ceea ce primim de la Dumnezeu vine prin credința în El (inclusiv mântuirea nostra), să îl cunoaștem pe El în mod intim devine foarte important! Într-adevăr, tot ceea ce primim de la Dumnezeu vine din a-L cunoaște pe El.

Unul din motivele pentru care viața creștină a fost atât de grea pentru mulți oameni – și aici includ și persoane care au auzit învățături despre credință și proclamare - este pentru că nu au cultivat o relație personală cu Dumnezeu. Ei nu Îl cunosc profund. Când știi cu adevărat că o persoană e demnă de încredere, nu este greu să o crezi. Eu personal sunt convins că credința este un rezultat direct derivat din a-L cunoaște mai bine pe Dumnezeu.

Nu este greu pentru o persoană care Îl cunoaște cu adevărat pe Dumnezeu să Îl creadă pe El și Cuvântul Său.

Și atunci când tu crezi Cuvântul lui Dumnezeu, nu este dificil să primești de la Dumnezeu. Dar dacă o persoană nu îl cunoaște pe Dumnezeu foarte bine, Satan poate să îl discrediteze pe Dumnezeu și să-i aducă tot felul de învățături false despre El pentru că acea persoană nu știe mai mult de atât.

Înainte să înaintez în subiect trebuie să admit că am tendința de a predica prin tehnici șocante. Unul din cele mai grele lucruri e să determini lumea să fie atentă, să audă cu adevărat ce ai de spus.

Și pentru a atrage atentia lor spun lucruri care mă pun într-o lumină delicată, încât ei sunt interesați să afle cum o să ies de acolo. Încep să asculte intenționat și în cele din urmă înțeleg ceea ce vreau să le transmit.

Cuvântul lui Dumnezeu e simplu. Un pastor pe care-l cunosc spune că e atât de simplu că trebuie să ai pe cineva care să te ajute să-l înțelegi greșit. Nu este nimic greu de înțeles în Cuvântul lui Dumnezeu. Problema cea mai mare e că oamenii nu-L aud cu adevărat. Oamenii se gândesc la ce au mâncat la micul dejun, la ceea ce vor mânca la prânz sau la diverse alte lucruri. Deci, înainte să explic ceea ce cred că este natura lui Dumnezeu, vă împărtășesc mai întâi că unele din lucrurile care vi le voi spune pot părea oarecum dramatice.

De exemplu, odată învățam că Dumnezeu nu este Cel Care pune probleme asupra credincioșilor. La acea întâlnire era de față un om cu fata lui de 12 ani care era paraplegică - era în scutece, paralizată și blocată într-un scaun cu rotile.

Ea era într-o condiție atât de proastă încât nici nu-și dădea seama de ce se întâmplă în jurul ei. Pentru că am spus că Dumnezeu nu este cel care a pus nenorocirea aceea pe fata lui, omul acesta s-a supărat. Dar oamenii care l-au adus la întâlnire i-au spus: " Îi datorezi reverendului Wommack măcar amabilitatea să vorbești cu el după ce se termină întâlnirea și să-l lași să explice ce a vrut să spună." Mai târziu, domnul acela a venit la mine și mi-a spus:" Dumnezeu i-a dat asta fiicei mele. S-a născut așa. Aceasta este voia lui Dumnezeu și El primește glorie din asta." I-am răspuns," Nu, Dumnezeu nu a făcut asta. Nu este voia lui Dumnezeu ca fata ta să fie într-un căruț cu rotile și să nu poată trăi normal. Nu așa a făcut Dumnezeu oamenii." Am început să îi arăt versete și el a început să-mi arate versete. Eu credeam că el interpretează greșit scripturile și el credea că eu le interpretez greșit. Devenea un impas teologic și nu se ajungea nicăieri. Ceea ce a dezarmat situația a fost când m-am uitat la el și i-am zis,"Care e problema? Nu-ți iubești fiica? Ce fel de tată ești? Nu îți pasă dacă fata ta se ridică sau nu din scaunul cu rotile? Nu îți pasă dacă va fi vreodată normală și dacă va putea să alerge și să se joace?"

Dacă era supărat pe mine înainte, de data asta chiar a devenit nervos după ce i-am spus asta. Cred că era în punctul de a-mi trage un pumn. Mi-a azvârlit înapoi: "Eu o iubesc pe fiica mea! Aș face orice pentru ea. Nu am mulți bani, dar aș vinde orice, aș împrumuta, aș face orice ar trebui să fac ca să găsesc bani dacă ar fi fost în puterile mele să produc vindecarea pentru fiica mea. În acel moment am zis:" Și tu crezi că Dumnezeu o iubește mai puțin? Crezi că Dumnezeu, cu toată puterea Lui, nu o să facă nimic și o să rețină vindecarea de la ea pentru că vrea să o chinuiască ca să învețe pe cineva o lecție.

Vedeți, omul acela putea să contrazică doctrina mea, dar când i L-am prezentat pe Dumnezeu ca pe un tată atunci acesta a văzut dorința Lui de a o vindeca pe fiica sa. Când am aplicat conceptul despre Dumnezeu ca un tată iubitor, plin de grijă, omul nu mai avea ce să mai argumenteze. El a văzut că Dumnezeu este Tatăl nostru Ceresc care nu vrea ca fiica Lui să fie paralizată. Asta a șters toată supărarea lui.

Înțelegerea că Dumnezeu este un Dumnezeu bun și că ne iubește, îndepărtează eficacitatea armelor lui Satan împotriva credinței noastre.

Tu poate că ai crezut și te-ai rugat pentru vindecare și știi ceea ce Cuvântul zice,... prin rănile Lui ați fost vindecați (1 Petru 2:24). Și probabil că știi totul despre învățăturile credinței, cum să proclami Cuvântul și toate principiile asemănătoare. Cu toate astea ai îndoiala asta sâcâitoare pe care nu poți să o învingi. Este o frică înăuntrul tău care te face să te întrebi:" Da' cu adevărat Dumnezeu o să mă vindece?"

Știai că frica ar putea fi aruncată afară complet din mintea ta dacă ai înțelege dragostea perfectă pe care o are Dumnezeu pentru tine? 1 Ioan 4:18 spune: Dragostea desăvârșită alungă frica. Dacă o persoană devine temătoare, întrebându-se dacă voia lui Dumnezeu pentru viața ei se va realiza, atunci ea nu Îl înțelege cu adevărat pe Dumnezeu și dragostea Lui imensă. Dacă Dumnezeu te iubește îndeajuns de mult ca să îl trimită pe Fiul Lui să moară pentru tine atunci nu te iubește destul de mult ca să aducă la îndeplinire voia Lui pentru viața ta când tu ești ascultător?

Tu poți ști unele lucruri despre Dumnezeu, dar dacă ai cunoaște dragostea Lui pentru tine, nu te-ai mai îndoi de El atât de ușor și nu ai mai pune la îndoială bunăvoința Lui de a te ajuta. Îți dai seama de asta?

Relațiile noastre umane sunt imperfecte și nu sunt o asemănare perfectă a relației tale cu Dumnezeu. Dar am relații destul de bune cu unii oameni încât dacă ai veni la mine și mi-ai spune că ei mă critică și că spun lucruri negative despre mine, nu aș crede. Asta pentru că îi cunosc. Avem o relație atât de bine închegată încât, dacă ei ar fi supărați pe mine ar veni și mi-ar spune. Știu că ar face asta, așa că nu ai avea cum să mă minți în legatură cu ei.

Dacă ar veni cineva și mi-ar spune că soția mea Jamie mi-a fost necredincioasă cât timp eu am călătorit ca să slujesc, ar nimeri prost, nu ar face decât să " latre la copacul greșit". O cunosc pe soția mea foarte bine. O cunosc pe soția mea. Cineva ar putea gândi: " Hei frate, nu poți fi niciodată sigur; nu știi niciodată". Păi, dacă asta e reacția ta, nu face decât să arate lipsa de relație pe care o ai cu perechea ta. Este posibil să ajungi într-o relație cu cineva până în punctul de a ști cum s-ar comporta și ce ar face în orice circumstanță. Relația noastră cu Dumnezeu nu este diferită.

El vrea ca noi să fim siguri că putem avea încredere în El, că va face ce e mai bine pentru noi oricare ar fi situația. Și despre asta este cartea aceasta: să ajungi să Îl cunoști pe Dumnezeu atât de bine încât nimeni să nu poată să te înșele în legătură cu bunătatea lui Dumnezeu pentru tine.

Capitolul 1

Este Dumnezeu schizofrenic?

Un motiv pentru care Dumnezeu poate fi discreditat atât de ușor este pentru că oamenii nu-L cunosc cu adevărat prin cuvântul Său. Singura cale prin care să ajungi să cunoști sincer ceva despre Dumnezeu este prin Biblie. Toată lumea de pe pământul ăsta are o părere despre cum e Dumnezeu și ce o să facă. Dar singurul lucru pe care El ni l-a dat ca să-L cunoaștem - și singura sursa care este cu adevărat de încredere - este Cuvântul Lui scris.

Majoritatea creștinilor nu citesc Cuvântul lui Dumnezeu în mod regulat. Ei iau doar un pic de aici și un pic de dincolo - poate ceva mai mult de la un predicator de la televizor și apoi un pic duminica dimineața de la biserica lor. Dar asta nu va fi destul ca să facă o adevărată diferență în viața lor, mai precis în înțelegerea lor despre Dumnezeu și despre natura Lui.

Unii oameni nu citesc și nu studiază Cuvântul lui Dumnezeu în mod destul de regulat. Dar chiar și atunci, sunt o mulțime de pasaje în Biblie care par să dea o revelație "schizofrenică" despre Dumnezeu. Sunt sincer cu voi! Bineînțeles, Dumnezeu nu este schizofrenic, dar așa pare să fie pentru unii oameni, la o citire superficială a Scripturilor. Într-un verset Dumnezeu poruncește să fii omorât cu pietre pentru ca ai adunat bețe în ziua de Sabat (vezi Numeri 15:32-35), și apoi în alt verset El iartă și nu condamnă o femeie prinsă în adulter (vezi Ioan 8:3-1). Exemple ca acestea dau oamenilor o impresie destul de ciudată despre cine este Dumnezeu.

Vechiul Testament Este Incomplet

Cuvântul lui Dumnezeu nu se contrazice pe El însuşi. Există o armonie perfectă în tot întregul său. O mare parte din ceea ce este în această carte are scopul de a armoniza Vechiul si Noul Testament pentru a ajunge la o mai bună si completă înţelegere a naturii lui Dumnezeu. In Vechiul Testament vedem o imagine a lui Dumnezeu care este incompletă. Nu este greşită; este doar incompletă. Oamenii care îşi formează înţelegerea lor despre natura lui Dumnezeu doar din Vechiul Testament, de obicei nu ajung să aibă o imagine completă şi exactă. Vechiul Testament este doar o imagine parţială. Nu este o perfectă reprezentare a lui Dumnezeu. Dacă nu înţelegi Noul Testament şi dacă nu eşti capabil să-l armonizezi cu Vechiul Testament, atunci ai să ajungi să ai o înţelegere greşită despre dragostea lui Dumnezeu şi despre întreaga natură a lui Dumnezeu. Într-o noapte am visat ca eram Iosua din Vechiul Testament. Mă duceam în Ţara Promisă, şi Dumnezeu mi-a ordonat să omor pe toată lumea în toate oraşele, exact cum i-a ordonat lui Iosua. Era greu pentru mine să fac asta! Femei, copii sau orice altceva ce putea respira nu trebuiau să rămână în viaţă. Dar nu reuşeam să mă împac cu aceasta. Eram aproape pe punctul de a spune: " Doamne, nu pot să fac asta." Şi ca şi cum nu era de ajuns, am aflat că unul dintre cei mai buni prieteni ai mei locuia în unul dintre aceste oraşe şi eu trebuia să îl omor pe el, pe soţia lui şi pe copiii lui. M-am trezit din vis gândindu-mă, "Doamne, eu nu pot să fac asta. Doamne, chiar nu pot să fac asta." M-am gândit la vis toată dimineaţa, meditând si rugându-mă în legatură cu el. Mă gândeam," Doamne, cum au putut să se întâmple lucrurile astea?" Am găsit răspunsul uitându-mă la Vechiul Testament prin prisma revelaţiilor Noului Testament. Dumnezeu a început să-mi arate că dacă Isus ar fi trăit în forma Lui umană în Vechiul Testament, nu ar fi făcut lucrurile în felul în care le-a făcut Iosua. Nu spun ca Iosua a greşit. El a fost supus lui Dumnezeu iar Dumnezeu a acționat în modul în care a trebuit să acționeze în decursul acelei perioade. Totuși, tot ceea ce Dumnezeu a făcut prin Iosua, nu a fost o adevărată și completă reprezentare a naturii Sale. Și nici nu era ceea ce Dumnezeu S-a revelat pe Sine Însuși a fi credincioșilor din Noul Testament. Și totuși unii oameni au încă impresia că Dumnezeu este un Dumnezeu mânios care va nimici orice persoană care ajunge în calea Sa.

Din dorința de a deveni un mare om sau o mare femeie a lui Dumnezeu, mulți creștini se duc înapoi și vor să întreacă niște exemple din Vechiul Testament. Ori de câte ori se vorbește despre cineva ca fiind un profet sau se spune că are ungere profetică, de obicei acea persoană începe să fie dură și crudă. Ei cred că acționează ca Ilie, un profet bătrân cu degetele osoase care ți-ar vârî degetul drept în față și ți-ar arăta el. Oamenii se gândesc la Ilie ca cineva care te mustră, te critică foarte aspru, te înfometează sau îți dă foc ca să te învețe ceva. Sunt de asemenea și câteva exemple de profeți care nu au fost duri și cruzi, dar când oamenii se gândesc la tipicul profet, de obicei au o impresie de cineva ca Ilie. Tinerii creștini care cred că sunt profeți se consideră toiagul paratrăznet lui Dumnezeu pe pământ – ei or să atragă toată judecata și mânia lui Dumnezeu și or să lovească poporul dacă calcă greșit.

Dar aceasta nu e o înțelegere completă a lucrării unui profet - și desigur nu este natura lui Dumnezeu.

În Vechiul Testament vedem unele lucruri făcute în acea manieră, dar asta nu e întreaga natură a lui Dumnezeu. Este de vitală importanță să știm cu Cine avem de-a face de fapt. Dacă nu cunoști natura lui Dumnezeu sau dacă nu-L înțelegi cu adevărat, atunci nu ai să trăiești niciodată în binecuvântarea și puterea Lui. Nu-mi pasă ce Scripturi ai învățat sau ale cui învățături le primești. Așa cum am mai spus și o să spun de multe ori în cartea aceasta, trebuie să ajungi să-L cunoști cu adevărat pe Dumnezeu și să ai o relație intimă cu El.

Ideile religioase care decurg dintr-o neînțelegere a Scripturii opresc oamenii să intre într-o relație mai apropiată cu Dumnezeu. Multora dintre noi le este cu adevărat frică să vină înaintea lui Dumnezeu din cauză că am fost învățați sau avem impresia că o să ne „lovească” cu ceva. Deci, mulți credincioși simt că trebuie să se închine, să scurme și să se ascundă de fiecare dată când vin înaintea lui Dumnezeu. Aceasta nu este relația pe care și-o dorește Dumnezeu sau pe care Cuvântul lui o învață.

Judecata Vechiului Testament

În 1 Regi 21:1-24, Ahab și Izabela sunt probabil doi dintre cei mai răi oameni din istorie, și desigur, cei mai corupți rege și regină din istoria lui Israel. Ei au conspirat împreună pentru a ucide un om nevinovat pe nume Nabot în scopul de a obține via lui. Ei au pus să-l lapideze pe Nabot iar corpul lui l-au aruncat într-un câmp, unde au venit câinii și i-au lins sângele. În timp ce Ahab se plimba prin noua lui vie, l-a văzut pe profetul Ilie și i-a spus:

M-ai găsit, dușmanule? Ilie i-a răspuns, **Te-am găsit, pentru că te-ai vândut ca să faci ce este rău înaintea Domnului**.

Apoi Ilie a început să-l mustre pe Ahab și-a zis: Așa vorbește Domnul: Chiar în locul în care câinii au lins sângele lui Nabot, vor linge câinii și sângele tău! Câinii o vor mânca pe Izabela lângă zidul Izreelului!

A fost nevoie de ceva timp ca acele profeții să se împlinească. Ahab a fost ucis într-o bătălie, și când a fost adus acasă, oamenii s-au dus să-i spele carul. În timp ce îl spălau, câinii au venit și au lins sângele lui Ahab. (Vezi 1 Regi 22:38). În ceea ce o privește pe Izabela, în timpul când un om, Iehu, a devenit rege, ea a fost aruncată dintr-un turn și a aterizat pe pamânt lângă zid. Iehu a trecut cu carul său peste ea, înainte și înapoi, mutilându-i corpul. Apoi a intrat în palat, s-a așezat jos și a început să mănânce. Chiar în mijlocul mesei sale, el a zis ceva de genul: “Ei bine, ea este fiică de rege, și chiar dacă a fost o femeie rea, merită să fie îngropată.” Deci Iehu a trimis niște oameni să o îngroape, dar tot ceea ce mai rămăsese din ea erau capul ei, mâinile și picioarele.

Restul corpului a fost mâncat de câini! (Vezi 2Regi 9:30-37). Profețiile incredibile ale lui Ilie s-au întâmplat exact așa cum a zis el – deci nu ai vrea să ai de a face cu Ilie, nu-i așa?

Mergem mai departe în 2 Regi, capitolul 1, la povestea lui Ahazia, fiul lui Ahab. Ahab și Izabela au păcătuit în așa hal înaintea lui Dumnezeu, că Ilie, care era profetul lui Dumnezeu a declarat modul groaznic în care viețile lor se vor termina. Ahazia a văzut acele profeții împlinindu-se, dar, ca și părinților săi, nu-i plăcea deloc de Ilie. Ahazia a călcat chiar pe urmele părinților săi. El nu a căutat pe unicul Dumnezeu adevărat; el a căutat zei păgâni. Când s-a îmbolnăvit, în loc să îl caute pe Dumnezeu și să-l întrebe pe El despre vindecarea lui, Ahazia trimite soli la *Baal-Zebub, dumnezeul Ekronului.*

Potrivit cu 2 Regi 1:3-8, când mesagerii lui Ahazia erau în drumul lor să întrebe zeul păgân, Ilie i-a întâmpinat și le-a zis:

> Oare nu este Dumnezeu în Israel, de mergeți să-l întrebați pe ***Baal-Zebub***, zeul Ekronului? De aceea așa vorbește DOMNUL: 'Nu te vei mai da jos din patul în care te-ai suit, ci vei muri cu siguranță!'»" Apoi Ilie a plecat. Când mesagerii s-au întors la rege, el i-a întrebat: – De ce v-ați întors?
>
> – Ne-am întâlnit cu un om, i-au răspuns ei, care ne-a zis astfel: „Întoarceți-vă la regele care v-a trimis și spuneți-i: «Așa vorbește Domnul: 'Oare nu este Dumnezeu în Israel, de ai trimis să-l întrebe pe ***Baal-Zebub***, zeul Ekronului? De aceea nu te vei mai da jos din patul în care te-ai suit, ci vei muri cu siguranță!'»"
>
> – Cum arăta bărbatul care v-a întâlnit și care v-a spus aceste cuvinte? i-a întrebat el.
>
> – Era un om îmbrăcat cu o manta de păr și încins la mijloc cu o curea de piele, i-au răspuns ei.
>
> – Este Ilie tișbitul, a zis el.

Regele și-a dat seama că era Ilie și a fost cuprins de frică, așa că și-a trimis oștirile să-l captureze. Versetele 9 și 10 spun:

Atunci a trimis la el o căpetenie peste cincizeci de oameni, împreună cu cei cincizeci de oameni ai acestuia. Căpetenia a venit la Ilie, care stătea pe vârful unui deal și i-a zis:

– Omule al lui Dumnezeu, regele îți poruncește să vii! Dar Ilie i-a răspuns căpeteniei:

– Dacă sunt un om al lui Dumnezeu, să se coboare foc din cer și să te mistuie pe tine și pe cei cincizeci de oameni ai tăi. Atunci s-a coborât foc din cer și l-a mistuit pe el și pe cei cincizeci de oameni care erau împreună cu el.

Destul de puternic, nu-i așa? Pur și simplu nu te joci cu Ilie. Ahazia a trimis o armată de cincizeci de oameni și pe căpitanul lor cu ei ca să-l captureze pe Ilie, dar acesta cheamă foc din cer și distruge oamenii regelui. Continuă în versetele 11 și 12:

Apoi regele a trimis o altă căpetenie peste cincizeci de oameni, împreună cu cei cincizeci de oameni ai acestuia. Căpetenia i-a zis:

– Omule al lui Dumnezeu, regele îți poruncește să cobori repede!

Dar Ilie i-a răspuns:

– Dacă sunt un om al lui Dumnezeu, să se coboare foc din cer și să te mistuie pe tine și pe cei cincizeci de oameni ai tăi. Atunci s-a coborât focul lui Dumnezeu din cer și l-a mistuit pe el și pe cei cincizeci de oameni care erau împreună cu el.

Sunt 102 oameni! Cineva ar putea crede, "Ei bine, Satan trebuie să fi făcut asta." Dar în versetul 12 spune că era focul lui Dumnezeu care a coborât din cer. Ilie avea acces la puterea lui Dumnezeu în așa măsură că putea distruge oameni. El putea omorî oameni cu puterea și ungerea lui Dumnezeu. Aceasta este asemănător cu Apocalipsa 11:5, unde zice despre cei doi martori că vor avea în gura lor puterea focului omorând pe oricine este împotriva lui Dumnezeu.

În apărarea lui Ilie, Dumnezeu a trimis foc din cer și a omorât 102 oameni. În cele din urmă, al treilea căpitan cu cei cincizeci de oameni ai lui au venit, dar acesta era un om temător de Dumnezeu. O parafrază a ceea ce a spus el este: "Ai milă de mine. Fac doar ceea ce mi-a spus regele să fac." Așa că Dumnezeu i-a spus lui Ilie să meargă cu el la Ahazia. Dumnezeu l-a protejat pe Ilie și nu s-a mai atins nimeni de el, dintre oamenii regelui. Nu a mai fost nevoie să cheme foc din cer pentru a ucide pe nimeni. Și totuși, știați că aceasta nu este singura modalitate în care Ilie ar fi putut rezolva problema? Dar acesta este un exemplu al Vechiului Testament despre puterea, ungerea și mânia lui Dumnezeu în apărarea unuia din profeții Săi.

Harul Noului Testament

Acum să comparăm această poveste a lui Ilie cu Luca 9:51-53

> Când s-a apropiat vremea în care avea să fie luat la cer, Și-a îndreptat hotărât fața să meargă la Ierusalim.
>
> A trimis înaintea Lui niște mesageri, care s-au dus și au intrat într-un sat al samaritenilor, ca să facă pregătirile pentru El. Dar aceștia nu L-au primit, pentru că fața Sa se îndrepta spre Ierusalim.

Era poruncit de Dumnezeu ca Ierusalimul să fie centrul de închinare pentru evrei. (Vezi 2 Cronici 6:6) Acolo El a așezat Templul Său și acolo era și chivotul legământului. Dumnezeu a poruncit poporului Său să I se închine doar la Ierusalim. A fost o vreme când copiii lui Israel s-au răzvrătit împotriva lui Dumnezeu și El a permis ca zece triburi din partea de nord să fie luate în captivitate de către asirieni. Cele două triburi din sud, Beniamin și Iuda au rămas netulburate pentru că au menținut închinarea în Ierusalim. După ce triburile de nord au fost luate în captivitate, regele Asiriei a trimis coloniști din Asiria pentru a locui țara celor zece triburi nordice astfel ca terenurile sa nu ajungă pustii. Aceşti colonişti s-au amestecat cu rămăşiţa celor zece triburi care rămăsese în urmă. Această rămăşiţă a triburilor nordice au părăsit identitatea lor de evrei şi s-au amestecat cu păgânii asirieni, neascultând o poruncă directă de la Dumnezeu de a nu se căsători cu oameni care nu i se închină Lui. Din cauză că asirienii nu cunoşteau căile lui Dumnezeu, fiarele câmpului au început să se înmulţească. Biblia spune în 2 Regi, capitolul 17, că Dumnezeu a trimis lei printre ei. Oamenii erau omorâţi şi devoraţi. Ţara Promisă, care era o binecuvântare de abundanţă pentru evrei, acum începea să producă animale care îi devorau pe asirieni. I s-a spus regelui Asiriei care este situaţia. El a eliberat câţiva preoţi evrei să se întoarcă în Ţara Promisă şi să-i înveţe pe asirieni căile Dumnezeului lui Israel. Dacă ei deveneau plăcuţi înaintea lui Dumnezeu, atunci nu mai erau devoraţi de fiarele sălbatice.

Coloniştii asirieni au început să înveţe practicile exterioare ca să fie plăcuţi lui Dumnezeu, dar nu şi-au schimbat inimile. Ei încă erau închinători păgâni şi au inclus practicile lor păgâne în ritualurile israeliene. Ei au făcut ceea ce era necesar să-l potolească pe Dumnezeu şi să scape de animalele sălbatice, dar nu era închinare adevărată la Dumnezeu. Ca urmare, triburile nordice au devenit o rasă mixtă de oameni, numiţi samariteni, care a condus la probleme rasiale în Israel. Evreii pioşi, devotaţi care trăiau în Israel îi urau pe samaritenii care au corupt închinarea. Acest lucru este verificat în Ioan, capitolul 4, unde Isus vorbeşte cu femeia samariteană la fântâna lui Iacov.

Exista o ură imensă din cauza prejudecăţilor religioase şi rasiale dintre evrei şi samariteni. Evreii nu vroiau să aibă nimic de-a face cu samaritenii.

Deja, în Luca, capitolul 9, Isus produsese un impact în Samaria, aducându-le împărăţia. Văzuse întregul oraş al Samariei reacţionând la El. Ei l-au acceptat ca Mesia. Dar acum, când a venit în oraşul lor, ei nu l-au primit pentru că părea că El se duce la Ierusalim să se închine cu "ipocriţii de acolo." Samaritenii l-au respins pe Isus din cauza asocierii Lui cu evreii, o respingere bazată pe prejudecăți religioase și rasiale.

A-l respinge pe Isus în aceste condiții era destul de grav, și ucenicii Săi, Iacov și Ioan, au avut o reacție tipică Vechiului Testament:

> Când au văzut acest lucru, Iacov și Ioan, ucenicii Lui, au zis: Doamne, vrei să spunem să se coboare foc din cer și să-i mistuie, cum a făcut Ilie?
>
> Luca 9:54

Cu siguranță, Iacov și Ioan erau la fel de îndreptățiți în a dori să-i omoare pe samariteni pentru că l-au respins pe Isus, așa cum Ilie a fost îndreptățit să cheme foc din cer ca să-i omoare pe soldații care l-au respins pe Dumnezeul Israelului în 2 Regi 1:10. Aceasta a fost o respingere gravă a Domnului Isus, și ei doar îl imitau pe Ilie, un mare om al lui Dumnezeu. Cei doi ucenici au luat un exemplu din Scriptură, acționând pe baza Cuvântului lui Dumnezeu și făcând ceea ce Ilie a făcut. Cu toate acestea, cum a răspuns Isus ucenicilor Săi loiali și plini de zel?

> Însă Isus S-a întors, i-a mustrat și a zis: Nu știți de ce duh sunteți însuflețiți! Căci Fiul Omului nu a venit să piardă sufletele oamenilor, ci să le mântuiască!
>
> Luca 9:55,56

Isus i-a mustrat pe Iacov și pe Ioan pentru încercarea de a face ceea ce s-a făcut în Vechiul Testament. I-a mustrat pentru că au încercat să fie ca Ilie, unul dintre cei mai puternici oameni ai lui Dumnezeu care au trăit vreodată in Vechiul Testament. Asta înseamnă că Ilie păcătuia în 2 Regi, capitolul 1? Nu, pentru că în acel moment, Dumnezeu trata cu omul într-un mod diferit, singurul mod posibil în acel timp.

Armonizând Vechiul și Noul Testament

Când oamenii nu privesc întregul Cuvânt a lui Dumnezeu, examinând Vechiul Testament în lumina Noului Testament, în general, ei ajung să aibă imaginea unui Dumnezeu al Vechiului Testament plin de mânie, judecată și pedeapsă. Acesta este un adevăr despre Dumnezeu, și aceia care nu acceptă dragostea și iertarea Domnului Isus Cristos, vor experimenta ziua teribilă de judecată a lui Dumnezeu. Dar mânia și judecata nu sunt natura fundamentală a lui Dumnezeu. Natura lui Dumnezeu nu este judecata. Nu ai să găsești asta în Cuvântul lui Dumnezeu. El judecă, într-adevăr, și El este drept și sfânt, dar Scriptura ne descoperă în 1 Ioan 4:8 că Dumnezeu este dragoste. Dragostea este adevărata natură a lui Dumnezeu. El nu doar are dragoste sau operează în dragoste. Dumnezeu este dragoste. Dragostea este adevăratul caracter a lui Dumnezeu.

Acțiunile lui Ilie (făcute în ascultare de Dumnezeu) nu erau o reprezentare completă a naturii lui Dumnezeu, iar Vechiul Testament, luat singur, nu poate să ne dea o completă revelație a lui Dumnezeu. Avem nevoie de Noul Testament ca să înțelegem plinătatea lui Dumnezeu.

> La început era Cuvântul, și Cuvântul era cu Dumnezeu, și Cuvântul era Dumnezeu. Și Cuvântul a devenit trup și a locuit printre noi, iar noi am privit slava Lui, o slavă ca a Singurului născut din Tatăl, plin de har și de adevăr.
>
> Ioan 1:1,14

> Isus i-a răspuns: De atâta timp sunt cu voi și nu M-ai cunoscut, Filip? Cel ce M-a văzut pe Mine L-a văzut pe Tatăl. Cum de spui: „Arată-ni-L pe Tatăl!"?!
>
> Ioan 14:9

Isus este Cuvântul viu, trăit printre noi, și când îl vedem pe El, îl vedem pe Tatăl. Deci problema pe care mulți creștini o au în a-L cunoaște pe Dumnezeu este că ei îl văd pe Dumnezeu prin prisma Vechiului Testament, în loc să-l vadă prin Isus. Ei înțeleg greșit și sunt confuzi cu privire la cine este Dumnezeu cu adevărat și la relația pe care El o dorește cu ei, pentru că ei îl văd conform cu Vechiul Testament.

În Vechiul Testament, Dumnezeu a trebuit să se poarte cu omenirea și păcatul într-o manieră diferită. Vom studia versetele care ne spun aceasta în capitolele următoare. Dar când a venit Isus, El a adus omenirii adevărata revelație despre Tatăl și El a operat foarte diferit. Eu personal cred că dacă Isus ar fi venit pe pământ în forma Lui umană în timpul Vechiului Testament, El l-ar fi mustrat pe Ilie, Iosua nu ar fi omorât orice bărbat, femeie și copil în acele orașe din țara Canaanului, și Moise ar fi fost mustrat pentru o mulțime de lucruri pe care le-a făcut. Ai putea gândi: "Frate, cum poți spune asta?" Eu cred că este clar în Cuvântul lui Dumnezeu că nu a fost niciodată dorința Lui să trebuiască să aibă de-a face cu omenirea atât de ferm. Aceasta nu a fost niciodată adevărata Sa natură și caracterul Său. Dar pentru că nu am știut aceasta, avem o impresie mixtă despre Dumnezeu. Nu l-am văzut în plinătatea Lui.

Cei mai mulți dintre noi nu recunosc cu adevărat sau nu înțeleg profunzimea dragostei, milei și compasiunea lui Dumnezeu față de noi. Și această impresie greșită despre Dumnezeu ne ține la distanță de El. De aceea este important să armonizăm tot Cuvântul lui Dumnezeu. Numai atunci vom putea obține o înțelegere fermă a adevăratei Sale naturi.

> În trecut, Dumnezeu le-a vorbit strămoșilor noștri de multe ori și în multe feluri, prin profeți, însă în aceste zile de pe urmă El ne-a vorbit prin Fiul, pe Care L-a pus moștenitor al tuturor lucrurilor și prin Care a făcut veacurile. El este oglindirea Slavei și reprezentarea exactă a naturii Lui. El susține toate lucrurile prin Cuvântul Său puternic. După ce a realizat curățirea de păcate, S-a așezat la dreapta Măreției, în înălțimi.
>
> A fost făcut cu atât mai mare decât îngerii, cu cât Numele pe care l-a moștenit este mai mare decât al lor.
>
> Evrei 1:1-4

În versetul 3, spune că Isus este strălucirea slavei lui Dumnezeu și reprezentarea exactă a naturii Lui. În alte cuvinte, Isus este o reprezentare exactă a lui Dumnezeu, adevărata Sa natură revelată.

În capitolele următoare vom vedea că dragostea, mila și iertarea pe care Dumnezeu ni le oferă în Noul Testament prin Isus Cristos au fost întotdeauna la dispoziția omenirii, chiar și în Vechiul Testament. Dar răspunsul omului la bunătatea lui Dumnezeu în Vechiul Testament l-au forțat să trateze cu omenirea mai aspru decât a dorit. Și, armonizând Vechiul cu Noul Testament, vom vedea clar că Dumnezeu nu este schizofrenic!

Capitolul 2

Harul lui Dumnezeu în Vechiul Testament

Probabil te întrebi, "Păi, dacă Isus este adevărata natură a lui Dumnezeu, atunci ce anume făcea Dumnezeu în Vechiul Testament?" Cuvântul lui Dumnezeu ne spune clar ceea ce Dumnezeu făcea.

> Așadar, înainte ca Legea să fi fost dată, era păcat în lume, însă unde nu este Lege nu se ține nici o socoteală a păcatelor.
>
> Romani 5:13

Când folosim termenul „Lege," ne putem referi la întregul Vechi Testament, dar termenul „Lege" folosit în contextul acestei Scripturi este mult mai specific.

Când spunem Lege aici, ne referim la Legea Mozaică, care include cele Zece Porunci, hotărâri judecătorești, pedepse și toate rânduielile și ritualurile ceremoniale.

Romani 5:13 ne arată că înainte de Lege, sau înainte ca Legea lui Moise să fie introdusă, păcatul era în lume, dar păcatul nu este imputat acolo unde nu este Lege. Cuvântul „imputat" înseamnă să iei ceea ce ai făcut și să îl pui în contul tău, sau să ții fărădelegile împotriva ta. În alte cuvinte, păcatul nu era ținut împotriva oamenilor până când Dumnezeu nu a dat Legea lui Moise.

Harul Extins După Cădere

Ideea celor mai mulți oameni despre Dumnezeu este că în momentul în care păcatul a intrat în Grădina Edenului, mânia lui Dumnezeu a început să fie revărsată asupra omenirii.

Oamenii cred că Dumnezeu era sfânt și omul păcătos, așa că Dumnezeu a separat omul de El Însuși și i-a scos pe Adam și pe Eva din prezența Lui pentru că sfințenia Sa nu suporta să privească carnea păcătoasă.

Dar a existat o perioadă de timp de la Adam până la Moise când Dumnezeu se relaționa cu oamenii în dragoste, milă și iertare în loc de mânie și judecată.

Acum, desigur, cred că Dumnezeu este sfânt și știu că omul este păcătos, dar dragostea lui Dumnezeu este atât de mare încât El nu a expulzat omul din prezența Lui. În ansamblu, Dumnezeu a tratat oamenii cu milă, și nu le-a imputat păcatele (să le țină păcatele împotriva lor) până în zilele lui Moise, când a fost dată Legea.

Păcatul a intrat în lume când Adam și Eva au căzut în fața tentației șarpelui în grădina Edenului. Să aruncăm o privire la modul în care Dumnezeu i-a tratat.

> Atunci Domnul Dumnezeu a zis: „Adam a ajuns ca unul dintre Noi, cunoscând binele și răul; acum el și-ar putea întinde mâna să ia și din pomul vieții ca să mănânce și va trăi veșnic." De aceea Domnul Dumnezeu l-a alungat pe Adam afară din grădina Eden, ca să muncească pământul din care a fost luat.
>
> Geneza 3:22,23

Când vezi cuvântul "de aceea,"ar trebui întotdeauna să te uiți și să vezi de ce este acolo, deci "de aceea" înseamnă că acest verset este legat de ceea ce a fost spus anterior. "De aceea" leagă expulzarea lui Adam și a Evei din grădină cu ceea ce a fost spus. Ce s-ar întâmpla dacă Dumnezeu nu i-ar trimite afară?

Motivul pentru care Dumnezeu i-a scos pe Adam și pe Eva din grădină a fost că El nu a vrut ca ei să mănânce din Pomul Vieții, ceea ce ar fi însemnat ca toată omenirea să poată trăi veşnic în starea păcătoasă. Nu a fost pentru că Dumnezeu nu mai putea tolera omenirea. Adam și Eva au păcătuit împotriva lui Dumnezeu, dar El nu i-a expulzat din prezența Lui. Prezența lui Dumnezeu a mers cu Adam și Eva și cu urmașii lor în afara grădinii Edenului. O să vă arăt că imediat după ce Adam și Eva au păcătuit și au părăsit grădina, Dumnezeu încă se plimba și vorbea cu ei în răcoarea serii. El încă avea părtășie cu ei. Contrar a ceea ce majoritatea oamenilor au crezut, Dumnezeul sfânt încă era prezent și avea părtășie cu omenirea păcătoasă.

Motivul pentru care Dumnezeu i-a scos pe Adam și pe Eva din grădină este tocmai pentru că îi iubea așa de mult – El nu a vrut ca ei să mănânce din Pomul Vieții și să trăiască pentru totdeauna într-un corp care a fost corupt de păcat. Păcatul i-a dat Satanei posibilitatea de a pune boli și toate felurile de blesteme peste noi. Îți poți imagina ce înseamnă să ai organismul distrus de cancer, și totuși, din cauză că ai mâncat din Pomul Vieții, să nu poți muri? Îți poți imagina ce ar însemna să trăiești o eternitate cu boli care îți distrug corpul, și totuși să nu poți să mori ca să scapi de ele? A fost mila lui Dumnezeu care a trimis omenirea afară din grădină și departe de copacul Vieții.

Pentru o persoană care îl cunoaște pe Dumnezeu și acceptă darul Lui, există un corp glorios și glorificat pregătit să vină care nu este supus la lucrurile la care este supus acest corp pământesc în viața aceasta. Vine un corp mult mai bun decât au avut Adam și Eva după ce au păcătuit. Dumnezeu i-a trimis afară din grădină din cauză că nu a vrut ca ei să trăiască pentru totdeauna într-un corp corupt, supus tuturor lucrurilor la care suntem supuși noi acum din cauza păcatului.

În Geneza, capitolul 4, vedem că Dumnezeu este încă în comuniune cu omenirea după cădere, în afara grădinii. Știm asta din cauză că Dumnezeu vorbea cu Cain și cu Abel. Cum au știut Cain și Abel să aducă un sacrificiu? Cum au știut să aducă o jertfă de sânge și să dea cele dintâi roade ale muncii lor lui Dumnezeu?

Din moment ce nu existau păcate care să fie ispășite încă, lui Adam și Evei nu le-au fost explicate sacrificiile de sânge în grădina Edenului.

Biblia nu spune aceasta deschis, dar mi se pare evident că Dumnezeu încă vorbea cu Adam și Eva și cu Cain și Abel. El vorbea și comunica cu ei, pentru că ei au înțeles ce să facă cu privire la sacrificii și cum să se apropie de El.

După ce Cain și Abel au oferit sacrificiile lor, Geneza 4:5 spune, **însă spre Cain și jertfa lui (Dumnezeu) nu a privit cu plăcere.** Spune că Dumnezeu nu a privit cu plăcere la ofranda lui Cain. Cum au știut ei că Dumnezeu nu a privit cu plăcere la ofranda lui Cain?

Dacă tu și fratele tău ați veni și ați oferi azi un sacrificiu, cum ai ști care i-a fost plăcut lui Dumnezeu și care nu? Fiind creștini născuți din nou, noi avem un martor a lui Dumnezeu înăuntrul spiritului nostru.

Dar Cain și Abel nu erau creștini născuți din nou, așa că ei nu-L aveau pe Dumnezeu înăuntrul lor. Este evident că Dumnezeu vorbea cu ei.

Ei erau conștienți că Dumnezeu se plimba, vorbea și stătea cu ei, pentru că în versetul 6 spune: "**Domnul i-a zis lui Cain**". Aici îl avem pe Dumnezeu vorbind cu o voce auzibilă lui Cain la fel cum Dumnezeu făcea cu Adam și Eva în grădina Edenului.

> „De ce te-ai mâniat și de ce ți s-a posomorât fața? Dacă faci ce este bine, oare nu vei fi primit? Dar dacă nu faci ce este bine, păcatul pândește la ușă, dorința lui este să te domine, dar tu trebuie să-l stăpânești."
>
> Geneza 4:6,7

Dumnezeu vorbește față în față cu Cain și Abel. Așa cum am afirmat mai devreme, majoritatea oamenilor cred că Dumnezeu a trebuit să-l separe pe om de prezenţa Sa pentru că omul era nesfânt şi Dumnezeu era atât de sfânt încât nu putea fi nici o părtăşie. Acesta este conceptul pe care majoritatea oamenilor l-au dezvoltat, dar nu este un concept dovedit sau învăţat de către Scriptură.

Când Cain a văzut că Dumnezeu a respectat sacrificiul lui Abel mai mult decât pe al său, a fost copleşit de gelozie şi l-a ucis pe Abel în furie. Biblia ne arată că Dumnezeu i-a vorbit lui Cain despre aceasta.

> Atunci Domnul l-a întrebat pe Cain:– Unde este fratele tău, Abel? – Nu ştiu, a răspuns el. Sunt eu păzitorul fratelui meu?
>
> Geneza 4:9

Acum opreşte-te şi gândeştete la aceasta. Iată-l pe primul criminal de pe faţa pământului şi, în timp ce încă mai are sângele lui Abel pe mâini, o voce auzibilă de la Dumnezeu spune: unde este Abel, fratele tău?

Ce ai face dacă ai omorî pe cineva, încă ai avea arma crimei în mâini şi Dumnezeu ţi-ar vorbi cu o voce auzibilă? Ai muri probabil de infarct! Ai putea probabil să faci multe lucruri, dar nu te-ai întoarce să spui: "Nu ştiu unde este Doamne. Sunt eu păzitorul fratelui meu?"

Ştii de ce Cain a făcut asta? Pentru că el era obişnuit să vorbească cu Dumnezeu. Vorbea cu Dumnezeu în fiecare zi. Nu era neobişnuit. Trebuie să fi fost o familiaritate cu vocea auzibilă a lui Dumnezeu. Dumnezeu încă se plimba şi vorbea cu omul, chiar şi după ce păcatul a intrat în lume şi omenirea a fost dată afară din grădina Edenului.

El nu le imputa păcatul sau nu le ţinea fărădelegile împotriva lor. Dumnezeu nu-i trata în modul în care Legea Vechiului Testament arată că trebuie tratat păcatul. El se purta cu ei în dragoste, milă şi iertare.

Cu toate acestea, Dumnezeu și-a arătat dezaprobarea față de uciderea lui Abel de către Cain, și i-a făcut cunoscut lui Cain care vor fi consecințele.

> Acum ești blestemat de pământul care și-a deschis gura să primească sângele fratelui tău din mâna ta. Când vei ara pământul, el nu-ți va mai da recolta; pe pământ vei fi un pribeag, un rătăcitor.
>
> Geneza 4:11,12

Cain a devenit temător și în Geneza 4:14 el a spus, "Doamne, o să fiu un vagabond, un rătăcitor pe pământ, atunci oricine mă va întâlni mă va ucide." Știi ce a făcut Dumnezeu?

În loc de a aduce judecata asupra primului criminal de pe fața pământului, Dumnezeu pune un semn pe Cain ca să îl protejeze.

> Dacă cineva îl va ucide pe Cain, Cain va fi răzbunat de șapte ori. Domnul a pus un semn pe Cain, pentru ca oricine îl va găsi să nu-l omoare.
>
> Geneza 4:15

Acum, nu este asta contrar ideilor religioase cunoscute? Dumnezeu nu a fost de acord cu păcatul, dar a protejat pe primul criminal de pe fața pământului! În contrast, sub Legea Vechiului Testament, dacă un om s-a dus afară să adune bețe în ziua de Sabat, Dumnezeu a comandat să fie ucis cu pietre. (Vezi Numeri 15:35) Dumnezeu l-a protejat pe Cain care a omorât un om, dar i-a poruncit lui Moise să omoare cu pietre un om care doar a adunat bețe în ziua de Sabat!

Nu pare contradictoriu? Se pare că omul care a adunat bețe în ziua de Sabat s-a ales cu partea rea a afacerii! Apare în acest mod din cauză că, până să vină Legea, Dumnezeu nu ținea păcatele omenirii împotriva lor. El trecea cu vederea (nu imputa) păcatele în ceea ce privea părtășia omului cu El.

Efectele Păcatului

În Geneza, capitolul 3, citim despre cum păcatul a intrat în lume. Desigur, știi povestea. Dumnezeu a creat pe Adam și Eva. El avea comuniune cu ei și se plimba cu ei în răcoarea serii. Satan a amăgit-o pe Eva să păcătuiască și Adam a păcătuit cu bună știință împotriva lui Dumnezeu. Când au văzut că sunt goi s-au ascuns de Dumnezeu. Imediat după ce au mâncat din fruct, Geneza 3:7,8 spune,

> Atunci li s-au deschis ochii, și-au dat seama că sunt goi, au cusut laolaltă frunze de smochin și și-au făcut învelitori cu ele. Ei au auzit glasul Domnului Dumnezeu, Care umbla prin grădină în adierea amurgului și s-au ascuns de Domnul Dumnezeu printre pomii din grădină.

De ce crezi că s-au ascuns? De ce te-ai fi ascuns? Sunt sigur că am putea spune o mulțime de lucruri, dar, până la urmă, a fost frica că ar putea fi anumite represalii din partea lui Dumnezeu. Le era rușine de ceea ce făcuseră, așa că s-au ascuns.

Harul lui Dumnezeu în Vechiul Testament

Remarcați că Scriptura nu spune că în momentul în care Adam și Eva au mâncat din copacul cunoștinței binelui și răului au primit o revelație completă a întregii adâncimi a păcatului.

Părerea mea personală este că i-au trebuit omenirii mii de ani ca să explore și să descopere adâncimile păcatului. Ei nu au știut instantaneu toată plinătatea și toate tipurile de păcat. Eu cred că Adam și Eva, după standardele noastre, chiar și după ce au păcătuit, erau încă atât de puri încât ne-ar fi șocat pe majoritatea celor dintre noi.

Nu spune că au înțeles vreo ceva despre pervesiune. Nu cred că Adam și Eva aveau vreo idee despre divorț. Dacă ar fi fost cineva care ar fi avut nevoie de un motiv de divorț, acela era

Adam, dar el a trăit cu Eva 930 de ani după cădere. Cred că unul din motive este că, normal, Adam nu știa că existau și alte opțiuni. Adam nu știa că poate exista divorțul.

Cu toate acestea, chiar dacă Dumnezeu nu imputa păcatul omenirii și le-a luat ceva timp oamenilor să-l descopere, păcatul a avut efecte devastatoare asupra omenirii încă de la început. Păcatul nu a fost numai o încălcare a poruncii împotriva lui Dumnezeu, dar el a creat, de asemenea, o ușă deschisă pentru Satan ca să intre în viața unei persoane.

Păcatul are consecințe atât pe verticală cât și pe orizontală.

Efectul pe verticală al păcatului este o încălcare împotriva lui Dumnezeu. Până când a venit Legea, totuși Dumnezeu nu atribuia omului păcatul său, și acesta nu avea nici un efect asupra relației omului cu Dumnezeu.

Efectul păcatului pe orizontală i-a permis lui Satan acces în viața ta într-o formă sau alta. Chiar dacă Dumnezeu nu aducea complet judecata asupra păcatului înainte de Lege, păcatul continua totuși să distrugă rasa umană.

> Nu știți că atunci când vă dați pe voi înșivă ca sclavi ca să ascultați de cineva, sunteți sclavii celui de care ascultați: fie ai păcatului, care duce la moarte, fie ai ascultării, care duce la dreptate?
>
> Romani 6:16

Cuvântul lui Dumnezeu ne atată că de fiecare dată când o persoană păcătuiește, aceasta îi dă lui Satan un loc pe unde să intre, un drum deschis, direct în viața sa. Chiar dacă Dumnezeu nu aducea complet judecata asupra păcatului, acesta i-a permis lui Satan să intre și să distrugă rasa umană – fizic, emoțional, mental și spiritual.

1. Diminuarea duratei de viață. În zilele lui Adam oamenii trăiau până la 969 de ani. Două mii de ani mai târziu, în zilele lui Noe, Dumnezeu a spus în Geneza 6:3, **„Duhul Meu nu va rămânea pentru totdeauna în om, pentru că el este carne; totuși anii lui vor fi în număr de o sută douăzeci."** Dumnezeu nu stabilea durata de viață maximă a oamenilor, pentru că Noe însuși a trăit peste 600 de ani. Avraam, care s-a născut după acea perioadă, a trăit 175 de ani. Moise a trăit până la 120. Sub inspirația Duhului Sfânt, Moise este cel care a scris în Psalmul 90:10 că anii omului vor fi 70 sau 80. Evident, păcatul diminua durata de viață a unei persoane.

De ce oamenii la început ajungeau să trăiască până la 969 de ani? Cred că i-a luat ceva timp lui Satan să-i convingă pe aceștia că ar fi trebuit să moară la un moment dat. Ei nu știau cum să moară. Ei nu au mai văzut pe nimeni făcând acest lucru înainte. Ei nu știau că se trece de culmea vieții la 30 sau 40 de ani! Ei nu știau că la 65 ar trebui să se pensioneze. Ei nu știau că era un sezon de gripă care venea în fiecare an. Ei nu știau despre gripa porcină, despre gripa Hong Kong, de cancer, de atacuri de cord. Dacă aveau vreo durere, sunt sigur că nici măcar nu știau ce era. Doar își continuau viața. Ei nu știau să se supună bolilor și infecțiilor. I-a luat mult timp lui Satan până să reușească să le transmită aceste cunoștințe. Biblia zice că singurul lucru pe care l-au știut când au mâncat din copacul cunoștinței binelui și răului este că erau goi.

2. Goliciune. Oare Adam și Eva și-au pierdut hainele când au mâncat din copac? Bineînțeles că nu! Adam și Eva nu erau mai goi după ce au mâncat din pom decât erau înainte. Unii oameni ar spune, "Stai un pic. Ei erau îmbrăcați înttr-o haină a neprihănirii." Ei bine, nu cred că aceasta este o bună comparație pentru că, literalmente vorbind, ei nu purtau nici o haină a neprihănirii sau orice altceva.

Spune în Geneza 2:25: **Omul și soția lui erau goi, dar nu le era rușine.** Nu aveau nici un fir de ață pe ei înainte sau după ce au păcătuit. Ei nu erau mai mult goi după ce au păcătuit decât înainte de a păcătui. Ceea ce s-a schimbat a fost percepția lor despre acest lucru. Dintr-o dată ei au știut că sunt goi. Nu s-au gândit niciodată la asta. Ei nu erau conștienți de goliciunea lor înainte.

Omenirea a fost creată să fie atât de conștientă de Dumnezeu încât pur și simplu nu s-au obsevat pe ei înșiși. Nu exista o conștiință de sine. Ei erau total conștienți de Dumnezeu și nu de ei înșiși. Așa ne-a creat Dumnezeu – să fim atât de conștienți de El încât nici să nu ne dăm seama dacă suntem îmbrăcați sau nu. Nici unul din noi nu a fost atât de concentrat pe Dumnezeu, așa-i? Dar acesta este felul în care Dumnezeu i-a creat pe Adam și pe Eva.

> Dar Domnul Dumnezeu l-a chemat pe Adam și i-a zis: Unde ești? Am auzit glasul Tău în grădină, a răspuns el, dar mi-a fost teamă pentru că eram gol; de aceea m-am ascuns. Dumnezeu l-a întrebat: Cine ți-a spus că ești gol?
>
> Geneza 3:9-11

Credeți că atunci când Adam a spus, " Mi-era teamă pentru că eram gol," Dumnezeu a răspuns:" Chiar ești gol? Glumești." Credeți că era prima dată când Dumnezeu a observat că erau goi? Bineînțeles că nu! Dumnezeu știa că sunt goi. El i-a creat goi. Dar știa că ei nu realizaseră că erau goi înainte de a păcătui. Acum, te poți întreba: "Ce are a face goliciunea cu tot restul?" Ei bine, poate că nouă nu ni se pare un motiv destul de bun pentru ca Adam și Eva să se ascundă de Dumnezeu. Dar conform Scripturii, acesta este singurul lucru pe care ei l-au recunoscut și care i-a determinat să fugă și să se ascundă de Dumnezeu. Ce era așa mare scofală? Cred că motivul pentru care aceasta lucru e atât de important este că Dumnezeu nu era gol. Dumnezeu era îmbrăcat. Știați că nu există nici o referire la Dumnezeu sau la vreo ființă angelică în tot Cuvântul lui Dumnezeu unde El sau vreun înger să fie gol? Ei sunt întotdeauna îmbrăcați! Dumnezeu poartă veșminte. Știați că în Apocalipsa 19:8, scrie că vom purta haine pentru eternitate? Vei avea efectiv o mantie de neprihănire care este făcută din ceva asemănător cu o pânză albă care va străluci. Nimeni nu se plimbă gol în cer.

3. Teama de a fi respins. Adam și Eva erau acum pe deplin conștienți de sine, ceea ce i-a făcut complet vulnerabili la rău, și cred că rezultatul imediat a fost teama de a fi respins. Ei erau obișnuiți să-L vadă pe Dumnezeu și ființele angelice îmbrăcate, apoi brusc, când au mâncat din copacul cunoștinței binelui și răului, și-au dat seama că nu erau îmbrăcați. Când realizezi că ești diferit de ceilalți oameni, reacția firească, naturală este întotdeauna frica – frica că ai să fii respins. Respingerea pe baza motivației că suntem diferiți este rădăcina tuturor prejudecăților rasiale. După părerea mea, este un lucru prostesc pentru un creștin să aibă prejudecăți rasiale. Dacă creștinii și-ar folosi creierele, ar înțelege că în cer vor fi cu toată lumea. Cred că este o prostie să crezi că o persoană este inferioară din cauza culorii pielii. Cu toate acestea, uneori, toți simțim acea teamă de a fi diferit. Am fost invitat să vorbesc în biserici de negri unde eu eram singura persoană albă de acolo. Chiar dacă știam că mă iubesc, pur și simplu nu m-am putut abține să mă gândesc că m-ar putea trata un pic diferit. Oamenii sunt, de obicei, un pic mai ezitanți când sunt conștienți că sunt diferiți de toți ceilalți.

Acesta este motivul pentru care există atâta presiune de grup în societate. De ce toată lumea vrea să fie ca toți ceilalți? Ei vor să fie acceptați! Dumnezeu ne-a creat pentru acceptare, să fim iubiți exact așa cum suntem. El nu ne-a creat pentru a fi respinși. Nimănui nu-i place respingerea. Oamenii urăsc respingerea pentru că doare. Dumnezeu nu te-a creat cu capacitatea emoțională pentru respingere.

Nu ar trebui să ajungi să trăiești cu ea. Tu poți și ar trebui să ajungi la punctul în care respingerea nu te mai copleșește pentru că ai învățat să i-o dai lui Dumnezeu. Dar există oameni care s-au alăturat unor bande, au comis crime și tot felul de lucruri oribile doar pentru a fi acceptat. Când realizezi că ești diferit, există o teamă că dacă nu ești ca toți ceilalți, e posibil ca aceștia să nu te accepte. Așa că toți tindem să gravităm spre ceea ce este considerat mediu sau normal ca să fim pe placul oamenilor din jurul nostru. În momentul în care Adam și Eva au păcătuit, ei au recunoscut că nu mai sunt precum Dumnezeu și le-a fost teamă că vor fi respinși.Le-a fost teamă că mânia și răzbunarea vor veni asupra lor. Părerea mea personală este că i s-a frânt inima lui Dumnezeu la ideea că creației pe care a făcut-o i-ar fi atât de frică de El încât să vrea să fugă și să se ascundă de El. Dar asta este ceea ce face cunoașterea păcatului.

4. Pentru Totdeauna în Datorii. Cunoașterea păcatului va face o persoană să se simtă vinovată, și când o persoană se simte vinovată, aceasta evită pe cel la care este îndatorată prin păcatul ei.

Pentru a ilustra acest lucru, permiteți-mi să vă împărtășesc exemplul unei dăți când datoram unei femei niște bani. Era proprietara casei unde locuiam, vicepreședinte al unei bănci și îi datoram chiria pe o lună. I-am spus acestei femei că știam că îi datoram bani. Am spus, "Îmi pare rău. Îți promit că îți voi da banii chiar dacă va trebui să vând sângele soției mele."(sângele soției mele valora $125 jumătate de litru). I-am promis că voi rezolva. Această doamnă a fost drăguță cu mine și mi-a spus, „ Nu-ți face griji. Am încredere în tine. Știu că ai să rezolvi situația." A fost foarte drăguță, dar știam că nu-i plătisem ceea ce-i datoram și mă simțeam prost din această cauză. Într-o zi, în timp ce mergeam pe stradă, am văzut-o venind. Când am văzut-o am intrat să mă ascund într-un magazin auto, chiar dacă nu aveam un leu în buzunar. Nu aveam nici măcar monezi ca să folosesc telefonul cu plată din magazin, dar am intrat și am început să mă uit ca și cum aș fi vrut să cumpăr ceva, doar ca să evit să o întâlnesc pe această femeie pe stradă. Ea nu a făcut altceva decât să se poarte cu dragoste, milă și iertare față de mine, dar pentru că îi datoram bani nu vroiam să vorbesc cu ea. Era o situație negativă pentru mine și nu vroiam să o confrunt. Dacă ai vrea să fii sincer, ai fi de acord că este la fel cu noi toți. Nu ne place să fim în preajma oamenilor care ne aduc aminte de lucruri negative din viața noastră, și simpla menționare a lui Dumnezeu – Celui Căruia îi datorăm totul – ne face să fugim mâncând pământul dacă am păcătuit.

Cunoașterea păcatului - cunoașterea binelui și răului – te face să fugi de Dumnezeu în loc să fugi la El. Adam și Eva ar fi trebuit să fugă la Dumnezeu când au păcătuit în loc să fugă de El. Dar exact același lucru tindem să-l facem cu toții . Fugim de Dumnezeu și încercăm să scăpăm de El când păcătuim sau când ne simțim nevrednici.

5. Amăgirea. Un alt efect important al păcatului este faptul că orbește sau înșeală oamenii. Biblia spune în Evrei 3:13 că inimile noastre se împietresc prin înșelăciunea păcatului. Inimile oamenilor erau întărite către lucrurile lui Dumnezeu în Vechiul Testament. Ei se îndepărtau atât de mult de Dumnezeu încât justificau tot felul de acțiuni păcătoase. În 2 Corinteni 10, Biblia spune că nu este înțelept ca oamenii să se compare între ei. Acea scriptură ne învață că nu este inteligent să te compari cu cei din jurul tău. Poate că ați auzit oameni zicând: "Ei bine, dacă ipocriții ăia bătrâni de la biserică ajung în rai, atunci ajung și eu!" Acest verset spune că nu e prea bine să te compari cu alții. Ce se întâmplă dacă ipocriții aceia de la acea biserică nu ajung în rai? De-a lungul istoriei, oamenii au încercat să justifice păcatul lor prin a găsi pe cineva mai "rău" decât ei cu care să se compare. Oamenii se uită la cel mai jalnic exemplu din biserică și spun: " Dacă ei se duc la biserică și reușesc să ajungă în rai, și eu am să reușesc." Ăsta este un standard teribil de comparație. Oamenii nu o să fie comparați cu ipocriții din biserică. Oamenii or să fie comparați cu Isus! (Vezi Romani 3:23.) Exceptând cazul în care reușesc să se ridice la nivelul Lui, ei au nevoie de un Salvator. Dar face parte din natura umană ca oamenii să se compare între ei pentru a scuza păcatul lor. Homosexualitatea era total inacceptabilă după standardele oricărei persoane, chiar și în lume. Dar acum, chiar unii politicieni – oameni în funcții publice care ar trebui să fie respectați – sprijină deschis acel stil de viață. Acest fenomen recent a schimbat părerea multor oameni în legătură cu aceasta pentru că se compară cu alții zicând:" Păi, dacă ăla și cu ăla face asta sau dacă ăla și cu ăla nu au nici o problemă cu asta, atunci înseamnă că nu e atât de rău." Singura problemă este că acel politician nu a fost niciodată etalonul tău de comparație. E o greșeală imensă să susții deschis ceva ce Dumnezeu condamnă doar pentru că cineva sprijină acea idee – nu contează cât de bogat și puternic este sau poziția pe care o deține. De ce ne înșelăm singuri gândind că nu contează dacă păcătuim sau nu? Să ne uităm din nou la Cain. Când Cain a omorât un om, Dumnezeu l-a protejat în loc să aducă mânia asupra lui. Aceasta nu a fost pentru că Dumnezeu aproba ceea ce a făcut Cain, ci datorită bunătății Sale. Romani 2:4 spune: **bunătatea lui Dumnezeu te îndeamnă la pocăință.** Dumnezeu vroia să arate dragostea și mila Sa rasei umane deși merita judecată. El vroia să arate dragoste și milă ca să atragă omenirea înapoi la El. Dar omul a interpretat greșit ceea ce Dumnezeu a făcut când l-a protejat pe Cain în loc să aducă judecata asupra lui. Al doilea criminal menționat în Biblie este Lameh, stră-stră-stră nepotul lu Cain. Când Lameh a ucis un om, i s-a adresat lui Dumnezeu spunându-i:

> **Dacă de șapte ori va fi răzbunat Cain, Lameh va fi răzbunat de șaptezeci și șapte de ori.**
>
> ***Geneza 4:24.***

Cu alte cuvinte, "Dacă Dumnezeu l-a protejat pe Cain așa cum a și făcut-o, cu siguranță, Dumnezeu mă va proteja și pe mine mult mai mult." Dumnezeu nu a spus aceasta; Lameh a spus aceasta! Vedeți ce se întâmplă? Lameh spunea de fapt: "Dacă Cain a scăpat cu crima, atunci și eu o să scap. Am mai mult dreptul decât Cain."

Oamenii au început să interpreteze răbdarea și bunătatea lui Dumnezeu ca și cum El ar trece cu vederea și ar scuza păcatul. Oamenii au început să spună: " Ei bine, păcatul nu poate fi chiar atât de rău." Acesta nu a fost mesajul pe care Dumnezeu a vrut să-l transmită! Dar când păcatul induce în eroare o persoană, aceasta va gândi și va face lucruri incredibil de prostești.

De ce Dumnezeu a Întârziat în a Da Legea

Până în timpul Genezei 6:6, păcatul devenise atât de rău pe pământ încât Biblia spune: **Domnului I-a părut rău că l-a făcut pe om pe pământ și s-a întristat în inima Lui.**

Dumnezeu este îndelung-răbdător și pentru ca El să fie întristat de crearea omenirii, aceștia trebuie să fi păcătuit împotriva Lui imens de mult. În Matei 24:37 Isus citează spunând: **Așa**

cum a fost în zilele lui Noe, tot așa va fi și la venirea Fiului Omului. Cu alte cuvinte, Isus spune că omenirea va păcătui în același mod în care păcătuiau pe timpul lui Noe când El se va întoarce. Nu am văzut încă manifestarea păcatului așa cum era în zilele lui Noe.

În mai puțin de 2,000 de ani (din vremea lui Adam până în timpul lui Noe) lumea a devenit atât de coruptă încât nu a mai fost niciodată astfel. Îți garantez, este coruptă astăzi, dar nu am văzut încă păcatul în măsura în care Noe l-a văzut.

Aș putea să vă dau dovezi arheologice, am citit despre forme de artă străvechi și artefacte vechi care au fost scoase la lumină, care arată că nu am văzut încă profunzimile păcatului în măsura în care Noe le-a văzut în acele zile. În mai puțin de 2,000 de ani păcatul a crescut la un nivel care, în următorii 4,000 de ani (de la potop până astăzi) nu a fost niciodată egalat. Există un motiv pentru care păcatul a fost ținut în frâu. După potop, Dumnezeu a făcut, în cele din urmă, ceva pentru a limita înmulțirea păcatului pe pământ. I-a dat lui Moise Legea Vechiului Testament. Afirmând cu tărie ceea ce este drept și ceea ce este greșit, dând omenirii standardul Lui perfect, Dumnezeu spunea: "Iată dovada că păcatul vostru este inacceptabil." A da Legea nu a fost dorința lui Dumnezeu. Dacă Dumnezeu ar fi dorit să limiteze păcatul prin Lege – dacă ăsta era planul și natura Sa – de ce nu le-a făcut-o cunoscută lui Adam și Eva în grădina Edenului imediat după ce au păcătuit. El le vorbea față în față. Ar fi putut să le dea Legea atunci. De ce a așteptat 2,500 de ani ca să le comunice Legea prin Moise?

Principalul motiv este că bunătatea lui Dumnezeu ne îndeamnă la pocăință. Dumnezeu nu a vrut ca noi să căutăm salvarea din cauză că ne este frică de mânia Lui, ci datorită bunătății și milei Lui.

Dar mai este un motiv pentru care Dumnezeu nu a dat Legea lui Adam și Eva. El nu a vrut ca Adam și Eva să cunoască cât de groaznic și profund era păcatul lor. Vă puteți imagina cum ar fi fost pentru Adam și Eva dacă ar fi înțeles ceea ce păcatul lor va face rasei umane? Vă puteți imagina cum ar fi fost dacă le-ar fi fost permisă doar o privire către miliardele de oameni care merg în iad pentru eternitate din cauza a ceea ce ei au făcut? Vă puteți imagina că dacă ei ar fi avut o imagine grafică a tuturor suferințelor, tragediilor, războaielor și a tuturor atrocităților pe care păcatul lor urma să le producă, ce le-ar fi făcut aceasta lor? Ei nu ar fi fost capabili să tolereze realizarea. Eu cred că nu ar fi fost capabili să trăiască cu ideea.

Dumnezeu nu a vrut ca Adam și Eva să cunoască adâncimile păcatului lor chiar dacă erau vinovați. El nu a vrut să impună păcatul asupra lor, așa că i-a tratat cu dragoste și milă. El a ales să nu le reveleze toate Legile Lui despre cât de păcătoși erau cu adevărat și ce au făcut rasei umane. În loc să-și reverse toată mânia asupra lor, El a operat în dragoste și milă față de ei și față de toți descendenții lor. Urmașii lui Adam și Eva ar fi început să-l evite pe Dumnezeu și mai mult dacă El i-ar fi făcut să înțeleagă cât de josnici erau. Dacă ei ar fi înțeles cum vede Dumnezeu păcatul, disperarea ar fi pătruns în rasa umană în așa măsură că ei nu ar fi fost capabili să creadă că Dumnezeu le oferă milă și iertare. Ei nu ar fi fost în stare să se aștepte la ajutor de la Dumnezeu și s-ar fi predat lui Satan.

Arătând lui Adam și Eva și urmașilor lor milă, dragoste și iertare Dumnezeu îi atrăgea la El, ca ei să poată accepta planul Său de răscumpărare prin venirea lui Mesia și astfel să fie salvați.

Chiar și atunci când Cain a omorât un om, Dumnezeu i-a arătat dragoste și iertare în loc de mânie. Dar oamenii au început să interpreteze greșit mila lui Dumnezeu și stră-stră-stră nepotul lui Cain a început să își justifice păcatul pentru că Dumnezeu nu l-a pedepsit pe Cain. A început să gândească, ”Ei bine, Dumnezeu nu e chiar împotriva la aceasta pentru că Cain a scăpat ușor.” Și așa, oamenii au început să vadă lipsa de pedeapsă din partea lui Dumnezeu ca pe o aprobare, coborând nivelul lor de sfințenie. Oamenii au început să meargă mai departe și mai departe în păcat, dându-se din ce în ce mai mult lui Satan, până în punctul în care Satan distrugea practic rasa umană. Pentru a-i păstra pe cei drepți, și pentru a preveni totala distrugere a omului, Dumnezeu decide să distrugă întreaga rasă umană cu excepția lui Noe și a familiei sale. În cartea Genezei, capitolul 6, Dumenzeu a trimis potopul ca pe o expresie momentană a mâniei Sale pe pământ. Dar chiar și potopul a fost o manifestare a dragostei Lui, pentru că păcatul devenise atât de rău, încât Dumnezeu mai avea doar opt oameni pe pământ care erau receptivi la El. Dacă El nu ar fi intervenit și dacă nu ar fi făcut ceva, nu ar mai fi rămas nimeni loial Lui pe pământ și nu am fi avut niciodată planul de răscumpărare.

Datorită dragostei Lui, Dumnezeu a dorit un plan de răscumpărare pentru cei care deja au trăit și pentru aceia care vor trăi pe pământ în viitor.

Isus a fost agentul lui Dumnezeu pentru răscumpărare, și El trebuia să se nască dintr-o ființă umană care nu venea dintr-o linie de oameni coruptă. Isus trebuia să se nască din oameni care l-au primit pe Dumnezeu și care au permis Duhului lui Dumnezeu să lucreze prin ei. Dacă Dumnezeu nu intervenea cu potopul, nu ar mai fi fost nici o fecioară prin care să vină Isus. Păcatul devenise chiar atât de rău pe fața pământului. Deși potopul a fost ca judecată a lui Dumnezeu, a fost de asemenea și o manifestare a milei și a dragostei Lui pentru viitorul omenirii.

Dumnezeu a demonstrat o mare reținere în a se ocupa de păcat, începând din zilele lui Adam până în zilele lui Noe. El s-a comportat cu milă, dragoste, și iertare, nepunând păcatele oamenilor asupra lor. De ce? Oare pentru că aproba păcatul? Nu, ci pentru că nu vroia ca oamenii să știe cât de josnici și murdari erau, pentru că cunoștința păcatului îndepărtează oamenii de Dumnezeu. Dar până la urmă, păcatul s-a înmulțit atât de grav înainte de potop încât după potop Dumnezeu a dat Legea lui Moise. Din nou, acest lucru nu a fost prima alegere a lui Dumnezeu, dar a fost singura alegere pe care omenirea i-a permis-o Lui.

Capitolul 3

Scopul lui Dumnezeu Pentru Lege

Orice persoană care înțelege cu adevărat bunătatea lui Dumnezeu fuge imediat către El când greșește. Cu toate acestea, mulți dintre noi, când intrăm în probleme, și mai ales dacă nu ducem o viață sfântă, fugim de Dumnezeu. Care este primul lucru care se întâmplă când păcătuim și conștiința noastră ne convinge că am greșit? Primul lucru care se întâmplă cu mulți credincioși când păcătuiesc este că ei încep să se simtă vinovați și încep să-L evite pe Dumnezeu. Ei știu că au încălcat Legea lui Dumnezeu.

De obicei, când credincioșii știu că au încălcat Legea, ei nu vor să fie confruntați de către Dumnezeu. Le este teamă că El o să-i respingă sau că o să aducă vreo pedeapsă teribilă peste ei dacă se apropie de El. Așa că ei uită de studiul Biblic și sar peste timpul lor de rugăciune. Ei evită biserica și pe oamenii lui Dumnezeu pentru că le este frică că vor fi demascați.

Ți se întâmplă și ție ceea ce spun? Poate că știi pe cineva care a păcătuit și nu s-a mai dus la biserică, sau poate te descriu chiar pe tine. Când păcătuiești, poate că nici nu te gândești suficient pentru a pune în cuvinte ceea ce se întâmplă de fapt, dar în inima ta îți este frică să vii înaintea lui Dumnezeu. Îți este teamă că păcatul tău va ieși la iveală, că Dumnezeu te va respinge ca individ și că nu va găsi nimic valoros în viața ta.

Apoi vine partea cu pedeapsa. Cei mai mulți dintre noi care sunt născuți din nou nu credem că Dumnezeu ne va trimite în iad pentru nişte păcate, dar credem că Dumnezeu nu va continua să aibă părtăşie cu noi, să ne protejeze sau aibă grijă de noi. Credem că este nevoie de ceva ploconeală în noroi şi de umilinţe mari ca să Îl determinăm pe Dumnezeu să fie indulgent cu noi. Această atitudine ne îndepărtează de Dumnezeu. De unde vine această atitudine?

Legea Aduce Condamnare şi Dă Tărie Păcatului

Am discutat despre cum Vechiul Testament nu este o exactă reprezentare a lui Dumnezeu, ci este mult mai profund decât atât. Vechiul legământ a fost inferior noului legământ. Toată cartea către Evrei vorbeşte despre acest concept în detaliu, dar iată câteva versete pentru a mă face înţeles:

> Însă acum El a obţinut o lucrare mult mai deosebită, în aceeaşi măsură în care şi legământul pe care El îl mijloceşte este mai bun, legământ care a fost dat ca o lege, bazat pe promisiuni mai bune. Dacă primul legământ ar fi fost fără cusur, atunci nu s-ar mai fi căutat loc pentru al doilea.
>
> Evrei 8:6,7

> Vorbind despre un nou legământ, l-a făcut pe primul învechit, iar ceea ce este învechit şi îmbătrânit va dispărea în curând.
>
> Evrei 8:13

> În consecinţă, Isus a devenit garantul unui legământ mai bun.
>
> Evrei 7:22

Vechiul legământ nu putea face nimic perfect, aşa că Dumnezeu a trebuit să aducă ceva mai bun. Acesta a fost noul legământ, care a fost sigilat cu sângele vărsat a lui Isus Cristos. Noul legământ i-a adus o glorie mult mai mare lui Dumnezeu decât vechiul legământ.

> Dar dacă slujba morţii, încrustată în litere, pe table de piatră, a fost cu slavă, astfel încât poporul Israel n-a putut privi la faţa lui Moise, din cauza strălucirii trecătoare a feţei lui, cu cât mai mult este cu slavă slujba

> Duhului? Căci, dacă în slujba aducătoare de condamnare era slavă, cu mult mai mult slujba aducătoare de dreptate va abunda de slavă! Fiindcă ceea ce a fost slăvit, nici n-a fost slăvit, din pricina slavei care o întrece cu mult. Într-adevăr, dacă ceea ce era trecător a fost cu slavă, cu mult mai mult este cu slavă ceea ce rămâne.
>
> 2 Corinteni 3:7-11

Acest pasaj al Scripturii spune de asemenea că Vechiul Testament aplică moartea și condamnarea.

> Moarte, unde îți este victoria? Moarte, unde îți este boldul?" Boldul morții este păcatul, iar puterea păcatului este Legea.
>
> 1 Corinteni 15:55,56

Și acest pasaj al Scripturii spune că Legea Vechiului Testament a dat putere păcatului.

Adevărul pe care îl vedem aici este că, dacă nu ar fi fost Legea Vechiului Testament, adusă în ființă prin Moise, păcatul nu ar fi avut putere să ne distrugă. Știu că aceasta poate pune în discuție teologia ta. De fapt, acest lucru poate să facă ca totul să se răstoarne înlăuntrul tău. Dar avem nevoie să pricepem anumite adevăruri pentru a putea armoniza Legea Vechiului Testament cu mila, dragostea și iertarea Noului Testament.

> Ce vom spune atunci? Este Legea păcat? Nicidecum! Totuşi eu n-aş fi cunoscut păcatul decât prin Lege, pentru că n-aş fi ştiut ce înseamnă să pofteşti, dacă Legea nu mi-ar fi spus: „Să nu pofteşti!"
>
> Dar păcatul, prinzând un prilej prin poruncă, a produs în mine tot felul de pofte, pentru că, fără Lege, păcatul era mort. Odinioară, fără Lege, eram viu, însă, când a venit porunca, păcatul a prins viață, iar eu am murit, şi porunca, cea care era pentru viață, s-a dovedit a fi una care mi-a adus moartea.
>
> Romani 7:7-10

Știai că a fost o perioadă de timp din viața ta când păcatul era "mort"? Apoi ai ajuns la cunoştința binelui și răului și ai început să înțelegi Legea. Păcatul era prezent și înainte, dar nu te domina, nu te controla. Păcatul era "mort." Odată ce te-ai confruntat cu Legea și ai văzut standardul perfect și sfânt a lui Dumnezeu, ai realizat cât de păcătos erai. Concupiscența este poftă sau dorință necontrolată. Ai știut că Legea Vechiului Testament a scos pofta sau dorința necontrolată afară din tine? Ai auzit porunca: **Să nu poftești**, și te-ai văzut ca un maniac lacom!

Legea îți arată păcatul, îl aduce la viață și te condamnă pentru el.

> Știm că tot ce spune Legea, le spune celor ce sunt sub Lege, pentru ca orice gură să fie închisă și întreaga lume să fie găsită răspunzătoare înaintea lui Dumnezeu.
>
> Romani 3:19

Te-ai simțit vreodată vinovat? Știi de unde a venit aceasta? Ai primit asta prin Lege, prin administrarea Vechiului Testament. Legea te face să te simți vinovat. Te condamnă conform cu 2 Corinteni 3:9 și Romani 3:19.

Totuși, a nu se confunda condamnarea cu convingerea Duhului Sfânt. Mulțumim lui Dumnezeu pentru puterea de convingere a Duhului Sfânt. El este înăuntrul tău și te va anunța imediat dacă ceea ce gândești sau faci sau ceea ce ai făcut este păcat sau nu, ori dacă este voia lui Dumnezeu pentru viața ta. Convingerea te atrage la Dumnezeu și te conduce pe căile Lui. Dar condamnarea te îndepărtează de la a avea intimitate cu Dumnezeu, te face să te simți neajutorat și doar capabil de nimic altceva decât să păcătuiești.

Majoritatea credincioșilor ar fi de acord că Satan este autorul condamnării, dar unul dintre cele mai mari lucruri pe care el le folosește ca să aducă condamnarea este Legea Vechiului Testament. Respingem frecvent condamnarea diavolului, dar uneori, condamnarea vine din gânduri deja stabilite în noi prin religie. Avem nevoie să ne curățăm de gânduri care au lipite de ele versete din Vechiul Testament.

Un coșmar periodic pe care îl aveam ca adolescent era că fumasem o țigară și, din această cauză mă duceam în iad.Acesta este un exemplu despre cum legea ne condamnă, ne omoară și ne trimite în iad.

> Căci „nici o ființă nu va fi îndreptățită înaintea Lui" prin faptele prescrise de Lege, deoarece prin Lege vine cunoașterea păcatului.
>
> Romani 3:20

Biblia spune că scopul Legii este să dea cunoștința păcatului - nu cunoștința despre Isus, Dumnezeu, iertare, sau orice altă doctrină care este atât de bine exprimată prin Domnul Isus Cristos.

Legea ți-a îndreptat atenția către tine însuți - către păcatul tău și nevrednicia ta.

Am fost învățat să fac asta la începutul anilor formării mele religioase. Ca și copii, am fost învățați să scriem o listă a păcatelor. Ei îți dădeau o foaie de hârtie și tu trebuia să scrii fiecare păcat pe care l-ai făcut. Eu trebuia să cer o a doua foaie. Am trăit, probabil, o viață mai corectă decât majoritatea oamenilor, dar eram obsedat de păcatul meu în loc să fiu concentrat pe Isus.

Oamenii credeau că dacă vedeai cât de putred ești, te săturai de tine însuți și astfel te întorceai la Dumnezeu. Dar nu a funcționat niciodată astfel. Făcându-mi lista de păcate deveneam atât de sătul de mine însumi încât nu reușeam să mă gândesc decât la mine însumi. Nu aveam timp pentru Dumnezeu deoarece eram ocupat cu cât de mult eșuam.

În această situație sunt cei mai mulți oameni religioși din ziua de astăzi. Nu este faptul că ei se văd mai superiori decât ar trebui să se vadă. Majoritatea dintre noi, creștinii, ne vedem mai inferiori decât ar trebui. Suntem total egoiști, conduși de propriul eu și gândim că nu am putea trăi corect pentru Dumnezeu.

Primii mei instructori de religie mi-au spus că cu cât gândeam mai rău despre mine însumi cu atât aș fi avut un duh mai zdrobit și aș fi fost mai deschis pentru ca Dumnezeu să mă folosească. Dar nu pe aceasta pune Noul Testament accentul. Biblia spune în Filimon 6,

Comunicarea credinței tale să devină eficace prin recunoașterea fiecărui lucru bun care este în tine în Cristos Isus. (n.t.- traducere după versiunea King James a Bibliei).

Recunoașterea a ceea ce a făcut Isus înlăuntrul tău, experimentarea dragostei lui Dumnezeu, o inimă recunoscătoare pentru ceea ce a făcut Dumnezeu pentru tine este ceea ce te face eficace. Acesta este modul Noului Testament de a opera! Dar Vechiul Testament te face conștient de tine însuți. Ne-a făcut să ne îndreptăm atenția către noi înșine și către păcatul nostru. Eram plini de cât de vinovați eram. Eram condamnați. Eram sub o administrație a morții care ne-a distrus total, spiritual și emoțional.

Legea și Credința

Ai putea să spui: "Cui îi pasă de vechiul legământ? Nu ofer sacrificii de sânge. Nu omor capre și oi. Nu sunt sub vechiul legământ." Dar îți spun că teologia ta, gândirea ta și atitudinile tale sunt probabil influențate de vechiul legământ într-un fel sau altul. Poate că nu oferi oi și capre, dar poate că oferi fapte ale sacrificiului de sine și de auto-pedepsire pentru a ispăși pentru păcat și vinovăție.

Atitudinea religioasă a Legii te va ține departe de ceea ce trebuie să faci, de la a-L cunoaște intim pe Dumnezeu. Când păcătuiești, Legea te face să te concentrezi asupra păcatului. Concentrarea asupra păcatului te va opri să intri în Sfânta Sfintelor și să strigi către Dumnezeu "Abba (Tăticule) Tată" – care este singurul mod în care poți scăpa de păcat!

Legea ne ține departe de acest tip de intimitate pentru că vedem doar mânia, judecata și pedeapsa lui Dumnezeu asupra păcatului nostru. Când Legea descoperă păcatul nostru, nevrednicia noastră, și vina noastră, în general noi fugim de Dumnezeu în loc să alergăm spre El.

Acum, nu totul de la Geneză la Maleahi este Lege. Există, de asemenea, o cantitate enormă de credință în Vechiul Testament, dar trebuie să o cauți. Aceasta pentru că Vechiul Testament a fost practic o administrație a Legii și Biblia spune:

> Astfel, cei care cred sunt binecuvântați împreună cu Avraam cel credincios. Căci aceia care se bazează pe faptele Legii sunt sub blestem, deoarece este scris: „Blestemat este oricine nu stăruiește să împlinească toate lucrurile scrise în Cartea Legii!" Este clar că nimeni nu este îndreptățit înaintea lui Dumnezeu prin Lege, pentru că „Cel drept va trăi prin credință", iar Legea nu se bazează pe credință, ci ea spune: „Cel ce face aceste lucruri va trăi prin ele."
>
> Galateni 3:9-12

Mă bucur ca Pavel a spus aceasta și nu eu! Aș avea probleme cu mulțimea religioasă pentru că spun că **Legea nu se bazează pe credință.** Alătură aceasta la Romani 14:23, care spune că **tot ce nu este din credință este păcat** (n.t.-traducerea Ortodoxă a Bibliei), și poți vedea că un credincios al Noului Testament care încearcă să fie plăcut lui Dumnezeu trăind sub Legea Vechiului Testament nu este în credință și este de fapt în păcat.

Știai că a încerca să-L slujești pe Dumnezeu în modul în care regele David sau Elisei îl slujea este păcat pentru un creștin al Noului Testament? Orice nu vine din credință este păcat, și Legea Vechiului Testament nu vine din credință!

Sunt patru cărți ale Noului Testament care au fost scrise cu unicul scop de a încerca să ne reînnoiască mințile de la a-L sluji pe Dumnezeu sub Legea Vechiului Testament: întreaga scrisoare către Romani, Evrei și Galateni, si majoritatea scrisorii către Efeseni. În general toate scrisorile lui Pavel sunt pline de putere referitor la acest subiect.

Scrisoarea către Romani a fost scrisă pentru a reînnoi mințile oamenilor de la Legea și faptele Vechiului Testament – justificare prin fapte și prin efort.

Scrisoarea către Evrei accentuează ferm recunoașterea că Isus a înlocuit totul din Vechiul Testament. Isus este acum Marele nostru Preot, iar noi nu funcționăm sub sângele taurilor și ale caprelor sacrificate ci suntem eliberați de sângele Lui fără păcat, vărsat.

Biserica a acceptat adevărul că nu mai trebuiesc sacrificate animale, dar Scriptura continuă de asemenea și spune că nu mai trebuie să operăm sub același sistem al Legii, unde conștiințele noastre ar tebui să ne condamne.

> Așadar, acum nu mai este nici o condamnare pentru cei ce sunt în Cristos Isus.
>
> Romani 8:1

> Altfel, oare n-ar fi încetat ele să fie aduse, dacă cei care se închină ar fi fost curățiți o dată pentru totdeauna și n-ar mai fi avut conștiența păcatului?
>
> Evrei 10:2

Biblia spune despre credincioși că ar trebui să aibă conștiința purificată ca să nu mai aibă conștientizarea păcatului. Aceasta înseamnă să nu mai fii conștient de păcat. Sunt probabil câțiva oameni cărora le-ar plăcea să mă omoare cu pietre pentru că spun aceasta. Ei spun: "Frate, cum îndrăznești! Cred că trebuie să ținem cele Zece Porunci; trebuie să trăim sub Legea Vechiului Testament."

O mulțime de oameni cred că trebuie să țină Legea, dar mulți dintre ei nu ar fi în stare să redea cele Zece Porunci. Și în afară de aceasta, nu sunt doar zece porunci, ci sunt sute de porunci în Legea Vechiului Testament. Majoritatea oamenilor nici nu știu care sunt dar insistă că trebuie să trăiască respectându-le! În cel mai bun caz asta înseamnă să fii inconsecvent pur și simplu. O persoană care crede cu adevărat aceasta ar trebui să știe care sunt aceste porunci. Sunt multe versete care spun asta.

> Știm că un om nu este îndreptățit prin faptele Legii, ci prin credința în Cristos Isus. De aceea și noi am crezut în Isus ca să fim îndreptățiți

prin credința în Cristos, şi nu prin faptele Legii, deoarece nimeni nu va fi îndreptățit prin faptele Legii.

Dar dacă, în timp ce căutăm să fim îndreptățiți în Cristos, noi înşine am fost găsiți „păcătoşi", este oare atunci Cristos Unul Care încurajează păcatul? Nicidecum!

Însă, dacă eu zidesc din nou lucrurile pe care le-am dărâmat, mă arăt ca unul care încalcă Legea. Căci eu, prin Lege, am murit față de Lege ca să trăiesc pentru Dumnezeu.

Am fost răstignit împreună cu Cristos şi nu mai trăiesc eu, ci Cristos trăieşte în mine, iar viața pe care o trăiesc acum în trup o trăiesc prin credința în Fiul lui Dumnezeu, Care m-a iubit şi S-a dat pe Sine Însuşi pentru mine.

Eu nu resping harul lui Dumnezeu, pentru că, dacă dreptatea se primeşte prin Lege, atunci Cristos a murit degeaba.

Galateni 2:16-21

Știai că moartea lui Isus Cristos nu are nici un efect dacă a trăi sub Legea Vechiului Testament este modul de a-I fi plăcut lui Dumnezeu și de a fi justificat înaintea Lui? Face moartea lui Cristos să fie în van. În felul acesta ai împiedica harul lui Dumnezeu. Mulți dintre noi au zădărnicit fără să vrea harul lui Dumnezeu, bunătatea Lui, dragostea Lui și mila Lui întinse către noi, doar pentru că nu au înțeles Cine este cu adevărat Dumnezeu și cum este El în realitate.

Cristos ne-a eliberat ca să fim liberi; rămâneți deci tari și nu vă supuneți din nou jugului sclaviei.

Galateni 5:1

Știți de ce anume ne-a eliberat El? Unii oameni ar spune "păcat," dar care era puterea păcatului? Era Legea. Întreaga scrisoare către Galateni ne arată că Isus Christos ne-a eliberat din sclavia Legii Vechiului Testament care ne condamnă.

Legea Este Pentru Copii

Am văzut în 2 Corinteni 3:7-9 că Legea Vechiului Testament era aducătoare de moarte și condamnare. Sunt acestea lucruri pe care Dumnezeu vroia să le facă? A vrut Dumnezeu să aplice moarte? A vrut El să ne facă să ne simțim condamnați? Aceasta nu a fost niciodată intenția lui Dumnezeu.
Am văzut în Romani 3:19,20 că prin Lege am primit cunoştința păcatului pentru ca toată lumea să poată deveni vinovată şi fiecare gură să fie închisă înaintea lui Dumnezeu. Legea ne-a dat cunoştința păcatului şi ne-a făcut să ne simțim vinovați înaintea lui Dumnezeu. În prima scrisoare către Corinteni 15:56 ni se spune că **puterea păcatului este Legea.** Legea a dat de fapt putere păcatului.

> Dar păcatul, prinzând un prilej prin poruncă, a produs în mine tot felul de pofte, pentru că, fără Lege, păcatul era mort.
>
> Odinioară, fără Lege, eram viu, însă, când a venit porunca, păcatul a prins viață, iar eu am murit, și porunca, cea care era pentru viață, s-a dovedit a fi una care mi-a adus moartea.
>
> Căci păcatul, prinzând prilejul prin poruncă, m-a înşelat şi, prin ea, m-a omorât.
>
> Romani 7:8-11

Păcatul a produs efecte negative. Legea a produs efecte negative. Legea ne-a făcut conştienți de păcatul nostru și ne-a lăsat fără speranță despre cum să ne apropiem vreodată de Dumnezeu. Dumnezeu nu vroia să ne dea totala cunoaştere a păcatului, dar pentru că El nu și-a arătat mânia asupra lui, oamenii și-au justificat păcatul. Ei nu au înțeles cât de mortal era păcatul și prin urmare l-au îmbrățișat. Ei trăiau o viață total desfrânată și din această cauză Satan domina rasa umană.

Până când a venit Isus pe pământ, Dumezeu a trebuit să pună niște restricții temporare asupra păcatului, să-l țină în frâu ca să nu se multiplice, să domine și să distrugă rasa umană. El a adăugat Legea Vechiului Testament din cauza abundanței greşelilor, dar a fost o măsură temporară până când Isus putea veni. Dumnezeu nu a vrut să ştim cât de putrezi eram, dar El a trebuit să folosească Legea ca să ţină în frâu păcatul, pentru că oamenii se înşelau gândind că păcatul este în regulă. Un alt efect negativ în a nu avea Legea funcţionând a fost că Dumnezeu nu judeca pe deplin păcatul. Fulgerul nu izbea oamenii de fiecare dată când păcătuiau. Din cauza a ceea ce părea lipsă de seriozitate către păcat, oamenii gândeau, "Ei bine, ştiu că ar trebui să fiu mai bun, aşa că am de gând să iau o decizie de Anul Nou. Nu o să mai îmi bat soţia de acum încoace. Nu o să mai beau." Ei îşi îmbunătăţesc viaţa şi încep să se încreadă în bunătatea lor, care-i face să spună: "Păi, sunt destul de bun. Chiar sunt bun acum. Cred că o să reuşesc să ajung în rai." Ei nu au luat în consideraţie gravitatea păcatului pe care îl aveau încă în vieţile lor.

Astăzi auzim acelaşi lucru. Oamenii spun, "Cum poate un Dumnezeu de dragoste să trimită oameni în iad? Dumnezeu o să accepte oameni indiferent dacă sunt musulmani, hinduşi, budişti, sau orice altceva; nu contează. Atâta timp cât ei fac ceea ce pot mai bine Dumnezeu o să-i accepte." Acesta nu este adevărul. Este o înşelăciune.

Fără Lege omenirea începea să gândească, " Ei bine, fă cât de bine poţi şi Dumnezeu o să te accepte." Ei nu înţelegeau cât de fatal era păcatul pentru că Dumnezeu nu-l pedepsise. Aşa că Dumnezeu a început să Îşi reveleze adevărata Sa mânie asupra păcatului prin faptul că a dat Legea.

Intenţia lui Dumnezeu în a ne da Legea este asemănătoare cu modul cum educi un copil. Nu poţi face un copil de doi ani să te asculte doar spunându-i: "Ascultă Ionel, motivul pentru care nu ar trebui să iei jucăria surorii tale este că Dumnezeu spune să împărţim. Dumnezeu spune că ar trebui să dăm şi să facem altora ceea ce ţie ţi-ar plăcea să-ţi facă. Aşa că de fiecare dată când iei o jucărie de la sora ta, tu de fapt o furi de la sora ta. Tu asculţi de diavol. Şi de fiecare dată când te supui diavolului, îi dai acces în viaţa ta. Înveţi căile diavolului şi dacă continui în acest fel, când ai să ai 20 de ani, asta o să te facă să-ţi pierzi locul de muncă și o să-ți strice căsnicia. Ai să ai toate aceste probleme și nu vei ajunge să faci nimic."

Dacă ai să începi să explici ceva de genul ăsta unui copil de doi ani, el doar o să te privească fix, în gol. El nu înțelege toate acele idei complexe. El nu înțelege existența lui Dumnezeu. El nu înțelege existența diavolului. El nu înțelege ideea de a-i rezista diavolului. El nu înțelege despre spirite demonice. El nu înțelege nimic din toate acestea. Și atunci ce faci?

Unii oameni spun: "Am să îl las în pace până când e destul de mare ca să te înțeleagă." Ei bine, dacă aștepți atât de mult ai dat de belea! Dumnezeu ne-a dat o măsură temporară pentru a face față comportamentului greșit la copiii mici. Biblia o numește nuia, dar mulți oameni o numesc chelfăneală. Poți să faci un copil de doi ani să te asculte cu succes dacă îi spui: " Poate că nu știi nimic despre Dumnezeu sau despre diavol, dar dacă mai faci asta o dată o să primești o pălmuță." Copilul poate că nu știe cine este diavolul dar data viitoare când acesta îi va spune: "Fură jucăria aia sau lovește-l pe copilul acela" el va spune: "Nu!" El va rezista diavolului. Îl poți face să reziste păcatului și îl poți face să se conformeze unui standard sfânt de viață de tema pedepsei. Aceasta fără ca măcar el să știe ce este păcatul sau cine este diavolul. Îl poți face să-i fie frică de nuia, și îți garantez că îl poți face să se conformeze!

Temporar nuiaua este bună și folositoare. Dar pe timp îndelungat, dacă este singura motivație pe care o persoană o are pentru a trăi o viață sfântă, este dăunătoare. Frica de a primi un pui de bătaie nu este motivația corectă pentru un adult. Este o măsură temporară pe care o folosim până când un copil poate raționa.

Când eram copil mama mea mi-a spus să nu trec strada fără să mă uit în ambele direcții.Dacă nu mă uitam de două ori înainte să trec strada indiferent dacă veneau mașini sau nu, primeam o palmă. La acea vârstă, puteam înțelege că primeam o pălmuială dacă alergam și ajungeam în fața unei mașini, dar nu îmi era frică că voi fi lovit de o mașină pentru că nu puteam înțelege acel tip de consecințe. Dar îmi era frică că aș putea primi o bătaie pentru că mă puteam raporta la acele consecințe! Și această frică m-a făcut să mă uit în ambele sensuri când treceam strada.

Astăzi sunt adult. Vă puteți imagina cum ar fi dacă aș începe să trec strada și dintr-o dată aș realiza: "Ups, nu m-am uitat în ambele sensuri." Când ajunge în partea cealaltă și nu aș fi călcat de nici o mașină, aș spune tremurând: "Vă rog, nu-i spuneți mamei mele. Să nu-i spuneți mamei mele ce am făcut. Dacă află o să mă bată." Ați crede că este cam ciudat! V-ați uita la mine și ați spune: "Ceva e în neregulă cu tine. Adevăratul motiv pentru care te uiți în ambele sensuri înainte să traversezi strada nu este pentru că mama ta o să te bată, ci pentru că o să fii lovit de un camion mai devreme sau mai târziu dacă nu o faci."

Ca adult sunt în afara stăpânirii mamei mele. Mama mea nu o să mă lovească dacă nu mă uit în ambele sensuri. Dar este încă înțelept să mă uit în ambele sensuri dacă vreau să rămân în viață. Totuși, până când am putut să raționez cu mintea mea, acea nuia era folosită să mă țină în frâu ca să nu mă lase să fac lucruri greșite. Din această cauză Dumnezeu a dat Legea. Era doar o măsură temporară care indica către un răspuns permanent. Oamenii Vechiului Testament nu erau născuți din nou. Nu puteau să primească cunoștința revelată așa cum putem să o primim noi astăzi. **1 Corinteni 2:14** spune:

Dar omul firesc nu primește lucrurile Duhului lui Dumnezeu, căci pentru el sunt o nebunie, și nu le poate înțelege, pentru că trebuie judecate duhovnicește.

Oamenii Vechiului Testament nu puteau înțelege lucrurile de care vorbesc eu aici, așa că Dumnezeu le-a dat o restricție fizică, ceva ce ei puteau să înțeleagă. Ei gândeau: "Ei bine, păcatul nu e chiar atât de rău." Atunci Dumnezeu a zis, "Chiar crezi? Fă asta – adună bețe în ziua de Sabat – și pun să fii omorât cu pietre." Dintr-o dată, ei au realizat că lui Dumnezeu nu-i plăcea cum trăiau ei în ziua de Sabat. Dumnezeu a spus: "Dacă nu dai zeciuiala, ești blestemat." Atunci oamenii s-au gândit: "Cred că Dumnezeu vrea să dau zeciuială." Dumnezeu a spus: "Dacă omori, vei fi omorât. Ochi pentru ochi, dinte pentru dinte, mână pentru mână și picior pentru picior." Ei au primit o nouă înțelegere despre cât de grav era păcatul!

Când Dumnezeu a început să își verse mânia asupra păcatului, oamenii au început să realizeze că ceea ce considerau ei ca fiind corect sau greșit era total deplasat. Conștiința lor a fost pângărită și amorțită, așa că Dumnezeu a trebuit să-i ajute să realizeze ce era de fapt corect și greșit. Legea a făcut ca conștiința lor să-și revină.

Utilizarea Corectă a Legii

> Înainte de a veni credința, noi eram sub paza Legii, închiși pentru credința care urma să fie descoperită.
>
> Galateni 3:23

Oamenii și-au pus încrederea în ei înșiși pentru mântuire gândind: "Eu sunt de fapt, destul de bun. Nu am făcut nimic teribil de greșit în ultimul timp și sigur sunt bine acum." După ce Legea a fost dată ei au început să realizeze: " Chiar dacă nu o să mai păcătuiesc niciodată nu pot să fac nimic pentru a ispăși pentru păcatele mele din trecut." Au început să își dea seama de situația lor fără speranță.

> Știm că Legea este bună, dacă cineva o folosește corect. Știm, de asemenea, că Legea nu este făcută pentru cel drept, ci pentru cei fără de Lege și pentru cei răzvrătiți, pentru cei neevlavioși și pentru cei păcătoși, pentru cei lipsiți de sfințenie și pentru cei lumești, pentru ucigașii de tată și pentru ucigașii de mamă, pentru ucigașii de oameni, pentru cei desfrânați, pentru homosexuali, pentru negustorii de sclavi, pentru mincinoși, pentru sperjuri și pentru orice altceva care este împotriva învățăturii sănătoase,
>
> 1 Timotei 1:8-10

Există un scop și un mod corect de a folosi Legea. Scopul corect al Legii este să dea revelație unei persoane care nu vede necesitatea de a-L avea pe Dumnezeu. O persoană care nu înțelege că a greșit înaintea lui Dumnezeu se înșeală singură și Legea poate fi folosită să-i arate că nu va merge în rai fără salvarea prin Isus.

Slujeam în Houston, Texas, când un om s-a ridicat în picioare în timpul unuia din serviciile mele și a început să țipe la mine. Am încercat să vorbesc cu el dar nu era nici măcar coerent. În cele din urmă l-am mustrat și i-am spus să ia loc și m-a ascultat. După ce cultul s-a terminat a venit în față și s-a așezat în primul rând. Era complet drogat și de abia putea vorbi cu mine. I-am spus: "Dumnezeu te iubește și vrea să-ți schimbe viața. El te poate elibera și te poate scoate din sclavia în care ești."

Omul mi-a spus: "Nu am nici o problemă. Nu sunt sub nici o robie. Totul e în regulă cu mine. Totul e bine." Uitându-mă la tip puteam spune că nu era așa. I-am spus: "Ascultă, Dumnezeu Însuși poate veni să trăiască înăuntrul tău și să te elibereze."

El a răspuns, "Eu sunt Dumnezeu. Dumnezeu este în tavan. Dumnezeu este în paviment." El îl considera pe Dumnezeu ca fiind o forță și un concept, nu ca pe o persoană adevărată. El a mai spus: "Eu nu am nici un păcat. Păcatul este relativ."

Acest om, practic și-a întărit inima și s-a păcălit singur până în punctul de a nu mai înțelege standardul perfect a lui Dumnezeu. Începusem să-i arăt dragostea, încercând să folosesc bunătatea lui Dumnezeu ca să-l aduc la căință. Dar omul acesta era atât de înșelat, încât conștiința lui era decuplată. El nu putea recunoaște un adevărat standard de bine și rău. Când am văzut asta am început să folosesc Legea pe el. Am luat Cuvântul lui Dumnezeu și am început să-i dezvălui propriul păcat. L-am făcut praf. "Gunoiul pământului. Crezi că ești bine, dar nu ești. Nu ai nici o putere. Nu ai nici măcar bucurie." Am început să-i spun fiecare lucru putred din el, poftă, lăcomie, zgârcenie și alte păcate pe care Dumnezeu le urăște. Am folosit Cuvântul lui Dumnezeu ca să-l cioplesc bucățică cu bucățică și să-i arăt că are nevoie de un Mântuitor, că altfel se ducea direct spre iad dacă Dumnezeu nu intervenea în viața lui. Și ghici ce s-a întâmplat! Legea a tăiat în toată amăgeala lui. În momentul în care vine Legea, conștiința se întoarce brusc la un standard adecvat, după voia lui Dumnezeu.

Nu-mi pasă cât de păcălită poate ajunge o persoană sau cât de mult crede că: "Drogurile sunt în regulă. Sexul liber este în regulă. Păcatul este relativ." Slujește-i arătându-i Legea în mod corect și îți garantez că va vedea păcatul său. Domnul va distruge toată înșelăciunea și va face ca conștiința lor să funcționeze în mod corespunzător.

Utilizarea Greșită a Legii

Scopul Legii a fost ca să ne arate nevoia noastră de Dumnezeu. Dar o dată ce recunoaștem în mod corect nevoia noastră de Dumnezeu, Legea este total incapabilă să producă relația cu El de care realizăm că avem nevoie. Aici s-au împiedicat mulți oameni.

După ce au fost condamnați de păcatul lor, ei încearcă să aibă o relație corectă cu Dumnezeu prin a ține Legea! Legea Vechiului Testament era plină de "Să nu." Oamenii au interpretat aceasta spunând: "Dumnezeu îmi spune ce am de făcut ca să câștig relația cu El. Acum, dacă doar am să țin Sabatul, dacă o să-mi onorez tatăl și mama, dacă nu o să omor pe nimeni, dacă nu o să fur, dacă nu o să depun mărturie mincinoasă, și toate aceste lucruri, atunci o să fiu în regulă cu Dumnezeu."

Nu, nu asta a învățat Dumnezeu. El nu a dat Legea ca tu să o poți ține și să-ți câștigi drumul spre cer – pentru că nimeni nu poate ține întreaga Lege. Romani 3:23 spune, **Căci toți au păcătuit și sunt lipsiți de slava lui Dumnezeu.** Nimeni nu a fost capabil să țină Legea, decât Isus.

Dumnezeu nu a dat Legea ca tu, păzind-o, să-ți poți câștiga dreptul de a merge în cer. Mai degrabă, Dumnezeu a dat Legea ca să-ți arate cât de fără speranță erai. Aceasta a fost ca să-ți arate cât de păcătos erai ca să încetezi să te mai bazezi pe tine și să îl cauți pe El pentru mântuire.

Religia predică Legea. Religia spune că în afară de cazul în care vii la biserică și urmezi o listă strictă de reguli, Dumnezeu nu o să-ți răspundă la rugăciuni și nu ai să ajungi niciodată în cer. Dacă acest lucru ar fi fost adevărat, nici unul din noi nu ar fi putut să se nască din nou deoarece cu siguranță nu trăiam corect înainte de a ne naște din nou!

Legea Vechiului Testament nu a fost dată astfel încât tu, respectând-o, să poți să îți câștigi relația cu Dumnezeu. A fost dată ca să îți dea cunoștința păcatului tău, să te condamne și să distrugă orice încredere ai avea în tine însuți pentru mântuire.

Legea Este ca un Steag Roșu

Dacă v-ați putea imagina un taur bătrân culcat pe un câmp, spunând: "M-am purtat rău cu toată lumea. Nu ar trebui să fiu așa. Nu ar trebui să atac pe oricine care trece prin acest câmp așa că am să mă schimb. Nu o să mai fiu rău de acum înainte. Am să iubesc pe toată lumea." Așa că taurul stă culcat în pășune, rumegă și se gândește că s-a schimbat. Doar pentru că crede că s-a schimbat nu înseamnă că chiar s-a schimbat. Dacă te plimbi pe lângă el, doar te va privi. Nu va încerca să atace. Dar scoate un steag roșu și flutură-l în fața lui și deodată, acea natură veche de taur se ridică înăuntrul lui și pornește la atac!

Cumva steagul roșu l-a făcut pe taur rău? Nu, tot ceea ce a făcut a fost să scoată afară ceea ce era deja înăuntrul lui. Dacă o persoană este înșelată, poate fi benefic să scoți afară toate lucrurile negative din ea. Dacă crede că este în regulă să trăiască o viață păcătoasă, scoate Legea și flutur-o în fața ei.

Îmi aduc aminte un exemplu când știam că este ceva în neregulă între noi și niște oameni cu care eram. M-am rugat cu Jamie și în sfârșit, în ultima zi în care eram cu ei ne-am pus de acord cu toții că problema trebuie să iasă la suprafață astfel încât să o rezolvăm. Știți ce s-a întâmplat? O femeie a explodat în fața mea și mi-a spus că eu sunt diavolul. A luat-o razna complet. Satan a încercat să o omoare în ziua aia și a fost o scenă oribilă. Dar a fost bine că lucrurile negative au ieşit la suprafaţă şi am fost capabili să le rezolvăm. A fost bine pentru că ei erau păcăliţi.

Aceşti prieteni ai noştri nu au înţeles ce se întâmpla spiritual, dar când au văzut cât de josnică devenise acea femeie faţă de mine, au recunoscut că era ceva în neregulă cu ea şi nu cu mine. Am contracarat slujindu-i şi am văzut toţi acei oameni eliberaţi. Suntem prieteni foarte buni astăzi.

Legea a fost folosită în Vechiul Testament ca să arate omenirii problema ei – păcatul – şi să-i dezvăluie situaţia disperată în care se află. Aceasta ne este explicat în Noul Testament, şi vedem cum Dumnezeu va folosi Legea şi astăzi dacă trebuie.

A trăi sub Legea Vechiului Testament a fost o povară teribiă, dar a fost maximul pe care-l putea oferi Dumnezeu în acele zile. Unii oameni ar putea spune: " Hei, stai un pic. Crezi că Dumnezeu nu ar fi fost capabil să introducă noul legământ atunci?" Exact asta spun. Biblia spune că Isus a fost născut la împlinirea timpului. (Vezi Galateni 4:4.) Isus s-a născut cât de repede a fost posibil pentru El ca să vină ca Mântuitor al rasei umane. Multe profeţii au trebuit să se împlinească, anumite lucruri au trebuit să se întâmple şi Dumnezeu a trebuit să trateze cu omenirea şi cu păcatul într-un mod temporar prin Lege.

Din păcate, acea metodă temporară a fost înţeleasă de mulţi oameni ca fiind o reprezentare clară a cum este Dumnezeu. Ei cred că Legea este felul în care Dumnezeu vrea să trateze cu omenirea, dar asta nu este adevărat! Din momentul în care Adam şi Eva au păcătuit, si mult după ce omenirea a fost expulzată din grădina Edenului, Dumnezeu a arătat milă faţă de oameni şi a căutat ca ei să vină la pocăinţă doar datorită bunătăţii Lui, indicându-le întotdeauna Mântuitorul ce urma să vină.

Capitolul 4

Viața Veșnică,

Darul lui Dumnezeu

La împlinirea timpului, Isus a venit. A devenit om și a trăit o viață perfectă, fără păcat. A permis să fie bătut, biciuit, și răstignit, în final devenind păcatul nostru și murind pentru noi pe cruce. Dar apoi a fost înviat din mormânt, și pământul nu a mai fost la fel de atunci!

> Dacă deci Îl mărturisești cu gura ta pe Isus ca Domn și crezi în inima ta că Dumnezeu L-a înviat din morți, vei fi mântuit. Căci prin credința din inimă se primește dreptatea și prin mărturisirea cu gura se primește mântuirea.
>
> Romani 10:9,10

Isus a inaugurat o nouă eră. Acum bărbați, femei și copii ar putea nu doar să aibă pace cu Dumnezeu, ci și să-L cunoască pe Dumnezeu. Și transformarea inimii umane a devenit cel mai mare miracol.

Ești O Nouă Creatură

Astfel, dacă cineva este în Cristos, este o nouă creație. Cele vechi s-au dus; iată, toate au devenit noi! Toate acestea sunt de la Dumnezeu, Care, prin Cristos, ne-a împăcat cu Sine și ne-a dat mesajul împăcării.

2 Corinteni 5:17,18

Când ai fost salvat, ai devenit o nouă creatură. Spiritul tău dinăuntru a fost schimbat. Acel verset nu vorbește despre înnoirea corpului tău fizic. Dacă ai fost gras înainte de a fi salvat, ai rămas gras și după ce ai fost salvat. Corpul și toate trăsăturile tale fizice nu s-au schimbat și nu au devenit diferite. Mintea ta nu s-a schimbat. *Spiritul tău este partea din tine care a fost schimbată.*

Vă voi da o inimă nouă și voi pune înăuntrul vostru un duh nou. Voi îndepărta inima de piatră din trupul vostru și vă voi da o inimă de carne.

Ezechiel 36:26

[...]și să vă îmbrăcați cu omul cel nou, care este creat după chipul lui Dumnezeu, în dreptatea și sfințenia care vin din adevăr.

Efeseni 4:24

El, pentru noi, L-a făcut păcat pe Cel Ce n-a cunoscut păcatul, pentru ca, în El, să devenim dreptatea lui Dumnezeu.

2 Corinteni 5:21

Tu ești un duh nou care este drept și sfânt. Nu există păcat în duhul tău. Isus a devenit păcat pentru noi, astfel încât să putem fi făcuți dreptatea lui Dumnezeu. Nu am primit doar un pic din dreptatea lui Dumnezeu, doar cât să putem trece prin viață. Avem dreptatea totală a lui Dumnezeu în spiritul nostru. Spiritul tău este atât de complet și perfect în tine chiar în acest moment pe cât va fi de-a lungul întregii eternități. Nu vei primi un duh nou când vei merge să fii cu Domnul. Vei primi un trup nou, glorificat, iar sufletul tău va fi total schimbat și va ști toate lucrurile. În această viață, corpul tău are o înclinare spre păcat și mintea ta va avea întotdeauna nevoie să fie reînnoită. Dar duhul din tine, chiar în acest moment, îl conține pe Duhul Sfânt, care trăiește în inima ta.

> În felul acesta, dragostea lui Dumnezeu este făcută desăvârșită în noi, pentru ca noi să avem îndrăzneală în ziua judecății, fiindcă în lumea aceasta cum este El, așa suntem și noi.
>
> 1 Ioan 4:17

Cum este El, așa suntem și noi în lumea aceasta. Nu spune: "așa vom fi," ci așa suntem noi acum. Evident, nu vorbește despre corpul sau mintea ta, ci despre spiritul tău. Spiritul tău este la fel de pur, sfânt, drept și curat pe cât va fi vreodată. Și acest verset spune că spiritul tău este gram cu gram și moleculă cu moleculă (dacă sunt asemenea lucruri în tărâmul spiritual) identic cu spiritul Domnului Isus! Spiritul tău este în totalitate lucrarea Sa. Este curat și pur. Și dacă păcătuiești, spiritul tău nu se contaminează niciodată, pentru că nu e spiritul tău cel care păcătuiește.

> Oricine este născut din Dumnezeu nu mai trăiește în păcat, pentru că sământa lui Dumnezeu rămâne în el; și el nu poate trăi în păcat, fiindcă este născut din Dumnezeu.
>
> 1 Ioan3:9

Am auzit spunându-se întotdeauna că acest verset se referă la păcatul obișnuit, regulat. Oamenii îmi spuneau: "Frate, nu poți să păcătuiești în mod regulat. Ai putea să păcătuiești câteodată, dar nu vei păcătui în mod regulat dacă ești cu adevărat născut din nou."

Dar acest raționament nu are sens, pentru că am descoperit mai devreme că ceea ce se poate numi păcat se încadrează într-o arie mult mai largă. Știți ce este păcatul? Mâncatul peste măsură este păcat. Cunoști vreun credincios care mănâncă peste măsură în mod regulat? În viața ta nu poți mânca ceva în mod accidental! Oricine este mai gras — în mod obișnuit gras — a păcătuit. Nu condamn pe nimeni, și eu mă îngraș câteodată. Dar nu contează dacă ești cu 4,5 kilograme, cu 15 sau cu 20 de kilograme peste greutatea normală. Puțin păcat este tot păcat. Dumnezeu mi-a spus în Cuvântul Său că acest corp al meu este templul Duhului Sfânt. Trebuie să am grijă de el și să-L slăvesc pe Dumnezeu prin orice mănânc, beau sau spun. Orice fac ar trebui să fie spre gloria lui Dumnezeu. Dacă mănânci prea mult, nu-L glorifici pe Dumnezeu în ceea ce faci. Ești indulgent cu tine însuți și eul tău domină. Eul tău e viu în loc să fie mort! Ideea la care vreau să ajung e că toți credincioșii păcătuiesc în mod obișnuit într-un fel sau altul. Deci nu cred că 1 Ioan 3:8 vorbește despre păcatul nostru obișnuit. Când a spus că oricine este născut din Dumnezeu nu poate să comită păcat, a vrut să spună exact ceea ce a spus, și asta se adresează omului tău spiritual.

Tu Ești Un Duh Respirat De Dumnezeu

Omul duhovnicesc, spiritual este singura parte din tine care este născută din Dumnezeu — și nu poate păcătui. Nu păcătuiește. Este sămânța lui Dumnezeu în tine. Nu ai păcătuit niciodată cu partea ta spirituală. Ești ademenit în tărâmul cărnii, iar emoțiile și mintea ta te pot duce la păcat pentru că voința ta îl alege. Dar spiritul tău nu participă la păcat. Spiritul tău nu este pângărit de fiecare dată când păcătuiești. Nu este corupt. Nu trebuie să fie purificat. Sângele lui Isus nu trebuie să fie reaplicat asupra duhului tău. Acesta este conceptul la care Evrei 9:11,12 se referea. Isus a intrat o dată în locul sfânt, obținând răscumpărare eternă pentru noi. Răscumpărarea eternă a fost pentru spiritul omului. Spiritul nostru este singura parte a răscumpărării care este completă acum, în prezent. Avem promisiunea unui trup glorios și că sufletul nostru va fi schimbat, dar în acest moment, spiritul nostru este singura parte din noi care e completă prin răscumpărare. Dar este completă, și este completă în mod etern. În viața aceasta, nu va fi pângărită.

> Prin acea voie am fost noi sfințiți, și anume prin jertfa trupului lui Isus Cristos, o dată pentru totdeauna. Fiecare preot stă în fiecare zi și își face slujba, aducând din nou și din nou aceleași jertfe, care nu pot

niciodată să îndepărteze păcatele, însă după ce Cristos a adus o singură jertfă pentru păcate, pentru totdeauna, S-a așezat la dreapta lui Dumnezeu și de atunci așteaptă până când dușmanii Lui vor fi făcuți așternut al picioarelor Lui.

Evrei 10:10-12

Lucrul acesta e puternic. Dacă doar ai sta și te-ai gândi la el, aceasta te va elibera. Oferta Domnului Isus Cristos te-a sfințit o dată pentru totdeauna. Scriitorul contrastează ceea ce Isus a făcut cu ceea ce făceau preoții Vechiului Testament. El accentuează că Isus nu trebuie să mai fie sacrificat vreodată. Unul din motivele pentru care majoritatea celor dintre noi nu înțeleg cu adevărat cât de complet am fost răscumpărați este că încă avem această mentalitate a Vechiului Testament. În Vechiul Testament, răscumpărarea nu a fost revelată complet. De fiecare dată când păcătuiai, trebuia să fie făcut un nou sacrificiu pentru acel păcat. În fiecare an trebuia să fie o zi a ispășirii când întreaga ta natură păcătoasă trebuia să fie ispășită. Din nou și din nou sacrificiile erau făcute o dată și încă o dată, an după an. După Legea Vechiului Testament, preoții administrau aceleași sacrificii de multe ori, dar ceea ce se aplică credincioșilor noului legământ se găsește în versetul 14,

Căci, printr-o singură jertfă, El i-a desăvârșit pentru totdeauna pe cei ce sunt sfințiți.

Și potrivit versetului 10, dacă ești născut din nou, ai fost sfințit prin acea jertfă! Sfințirea nu înseamnă atingerea unei stări de perfecțiune fără păcat prin a te strădui din greu. Unii oameni învață că poți să ajungi într-o stare de perfecțiune în care nu mai poți păcătui în trupul tău natural. Dar partea din noi pe care Isus a sfințit-o și a perfecționat-o, potrivit cu Evrei 10:10 și 14, este spiritul nostru uman. Omul spiritual este sfințit sau despărțit de păcat. Printr-o singură jertfă (Isus) spiritul tău a fost sfințit și perfecționat pentru totdeauna!

[...] ci ați venit la muntele Sion, la cetatea Dumnezeului celui Viu, Ierusalimul ceresc, la miile de îngeri adunați pentru sărbătoare, la Bise-

> rica întâilor născuți scriși în ceruri, la Dumnezeu, Judecătorul tuturor, la duhurile celor drepți făcuți desăvârșiți.
>
> Evrei 12:22,23

Dacă spiritul tău este perfecționat pentru totdeauna, tot timpul și în orice situație de-a lungul eternității, Dumnezeu poate să se uite la tine și să te iubească chiar dacă ai păcătuit și ai căzut în natural. De ce? Biblia spune că El se uită la inimă!

> Domnul nu se uită la ceea ce se uită omul. Omul se uită la înfățișare, pe când Domnul se uită la inimă.
>
> 1 Samuel 16:7

> Dumnezeu este Duh, iar cei ce I se închină trebuie să I se închine în duh și în adevăr.
>
> John 4:24

Când vin înaintea lui Dumnezeu și spun: "Abba, Tată," Dumnezeu nu se uită la păcatele mele și la felurile în care am căzut. El nu se uită la acele lucruri și nu-mi spune: "Cum îndrăznești să vii înaintea Mea în păcat?" Asta pentru că nu am venit înaintea Lui în păcatul meu! Am venit înaintea Lui în spiritul meu perfect, fără păcat și în adevăr. Dumnezeu se uită la duhul meu. Indiferent de ceea ce carnea mea a făcut, spiritul meu este pur, sfânt, complet, fără pată și nepângărit. Dumnezeu poate să se uite la mine și poate să aibă o relație cu mine exact la fel cum ar avea cu Domnul Isus Cristos! Acum, chiar dacă spiritul meu este pur, sufletul și corpul meu nu sunt încă pure. Acesta este singurul lucru care împiedică părtășia mea cu Dumnezeu. Și dacă mă bălăcesc în păcat, am să-mi pângăresc conștiința și o să-mi fie greu să umblu în adevărul spiritual. Biblia spune în 1 Corinteni 2:14 că omul natural nu poate primi lucrurile spiritului. Dacă trăiesc constant în păcat în realitatea naturală, nu am să simt că spiritul meu este pur. Dumnezeu încă se uită la duhul meu și este tot atât de pur pe cât a fost vreodată, dar nu am să fiu capabil să percep puritatea sa pentru că am o gândire carnală. Nu am să fiu capabil să percep și să umblu în realitatea spirituală, experimentând cine sunt în Cristos Isus. Sunt închis în realitatea fizică dacă trăiesc în păcat. Curând am să încep să cred lucruri de genul: "Doamne, cum poți să mă iubești așa cum sunt?" Din cauza faptului că spiritul tău e perfect, eu cred că acesta nu trebuie să crească, dar o creștere trebuie să aibă loc în sufletul tău. Adevărurile spirituale sunt deja realitate și sunt complete în spiritul tău, dar mintea ta, emoțiile, au nevoie să învețe și să înceapă să le practice. Biblia numește aceasta a fi părtași ai naturii divine, sau devenind ca Dumnezeu, gândind, vorbind, și acționând în felul în care El o face.

> Prin aceste lucruri, El ne-a dăruit promisiunile Lui prețioase și foarte mari, pentru ca, prin acestea, scăpând de depravarea care este în lume din cauza poftelor, să deveniți părtași ai naturii dumnezeiești.
>
> 2 Petru 1:4

Simplu spus, pe măsură ce ne reînnoim mințile prin Cuvântul lui Dumnezeu, petrecem timp în prezența Sa, și creăm o relație intimă cu El, puritatea și perfecția din spiritul nostru vor începe să ne transforme sufletul nostru. Și când sufletul nostru începe să se alinieze cu duhul nostru, carnea noastră își pierde puterea de a ne face să păcătuim. Carnea noastră devine supusă sufletului nostru, care a devenit supus spiritului nostru. Prin urmare, învingem păcatul, pentru că acționăm ca și Isus. Aceasta e o bună imagine a ceea ce înseamnă să devii o nouă creatură în Cristos, dar ce se întâmplă dacă o dai în bară într-o zi? În loc de a spune: "Nu sunt vrednic de Tine pentru că am ratat" vei spune: "Doamne, prin sângele Domnului Isus mă întorc înapoi în brațele Tale și îți mulțumesc că mă ierți și mă curățești de toată nedreptatea."

> Voi n-ați primit un duh de robie, ca să vă fie din nou teamă, ci ați primit Duhul înfierii prin care strigăm: „Abba! Tată!"
>
> Romani 8:15

> Iar pentru că voi sunteți fii, Dumnezeu a trimis Duhul Fiului Său în inimile noastre, Duh care strigă „Abba!", adică „Tată!"
>
> Galateni 4:6

Vei avea cunoașterea în spiritul tău fără păcat și perfect că ești copilul lui Dumnezeu și că El nu te va izgoni. Dumnezeu te iubeşte şi mă iubeşte, atitudinea Sa faţă de noi nu se schimbă din cauza păcatului. Dacă ar fi fost aşa, care păcat anume i-ar schimba atitudinea? Unii oameni ar spune: "Ei bine, frate, sunt păcatele mari." Dar Dumnezeu nu dă note pe baza unui grafic, şi El nu clasifică anumite păcate ca fiind păcate mari iar pe altele ca fiind mici. Pentru Dumnezeu, păcatul este păcat. Dacă păcatul ar afecta atitudinea lui Dumnezeu faţă de noi, atunci toţi am fi în belea şi nici unul dintre noi nu ar fi capabil să intre în acea stare de reală prietenie cu El. Niciunul dintre noi nu am putea să umblăm, să vorbim şi să avem părtăşie cu Dumnezeu. Oricine predică sfinţenia ca bază pentru a fi cu Dumnezeu sau a primi de la El nu face altceva decât să pună păcatele în categorii şi să spună "Dumnezeu va trece cu vederea anumite păcate iar alte păcate nu le va trece cu vederea." Reafirm că pentru Dumnezeu păcatul este păcat. Dar aceasta ridică întrebarea "Dacă ceea ce spui este adevărat şi dacă eu am primit răscumpărarea eternă, vrei să spui că odată ce sunt născut din nou este imposibil să-mi pierd mântuirea? Chiar vrei să spui că există un asemenea lucru ca răscumpărarea eternă?" Chestiunea securităţii mântuirii tale este importantă pentru relaţia pe care ai început-o cu Dumnezeu. Dacă totuşi nu eşti de accord cu mine în această privinţă, iubeşte-mă oricum, şi nu respinge te rog celelalte adevăruri importante pe care ţi le-am arătat din Cuvântul lui Dumnezeu.

Securitatea Mântuirii Tale

Eu nu învăţ că poţi trăi în păcat, că poţi să faci ce vrei, şi totuşi să-ţi păstrezi mântuirea. Una din problemele pe care le avem atunci când încercăm să înţelegem lucrurile e că ne ducem la extreme. Oamenii întreabă: "Doamne, au dreptate cei care învaţă că odată salvaţi suntem pentru totdeauna salvaţi? Sau au dreptate cei cu învăţătura salvaţi-pierduţi, salvaţi-pierduţi, salvaţi-pierduţi? Cine are dreptate?" Am studiat cinci ani buni această problemă. Am petrecut ore şi ore în şir studiind, rugându-mă şi întrebându-L pe Dumnezeu: "Care dintre ei are dreptate?" Nu ajungeam nicăieri, pentru că în final puteam să învăţ şi să apăr oricare dintre cele două poziţii. Şi totuşi ştiam că nu puteau fi corecte amândouă. În sfârșit, într-o zi Domnul mi-a vorbit, spunându-mi: "Nici una dintre ele nu este corectă." Nu m-aș fi gândit niciodată la așa ceva. Îi dădusem tot timpul lui Dumnezeu un „test grilă". Practic îl întrebam: "Doamne, care e corect? Este (a) odată salvat, pentru totdeauna salvat, ori (b) salvat-pierdut, salvat-pierdut?" Niciodată nu i-am dat varianta (c) nici una din ele. Una dintre marile noastre probleme este că îi punem lui Dumnezeu întrebări stupide. De exemplu, Petru. Dumnezeu nu i-a cerut lui Petru să iasă din barcă și să meargă pe apă. Petru i-a spus: "Doamne, dacă ești Tu, poruncește-mi să vin la Tine pe apă." (Vezi Matei 14:28,29.) Ce putea să-I spună Isus: "Nu, Petru, nu sunt Eu, nu veni"? Cum putea să-I răspundă la acea întrebare? A trebuit să spună: "Vino," pentru că acesta era răspunsul pe care îl ceruse Petru în întrebarea sa. Petru nu a spus: "Doamne, am ajuns la un nivel spiritual la care ar trebui să fiu și eu pe apă cu Tine?" Dacă ar fi spus asta, Isus ar fi putut să-i răspundă în mod diferit. Dar El a răspuns întrebării lui Petru potrivit felului în care el a pus întrebarea. Un alt exemplu de întrebare pusă greșit l-a implicat pe un prieten al meu pe nume John. El s-a rugat pentru colegiu pentru mult timp și a primit o bursă pentru Universitatea Baptistă din Oklahoma. Se simțea total încrezător că Dumnezeu i-a spus să se ducă la acea școală. Apoi, nu mult după ce a început să o frecventeze, Dumnezeu i-a spus să plece și să se ducă la Seagoville, Texas, unde eu păstoream o biserică, doar să stea în acea lucrare și să câștige un pic în maturitate. John a avut o adevărată problemă cu asta. A spus: "Doamne, asta nu e drept. Am obținut o bursă completă. Mi-am făcut toate planurile. M-am rugat și știu că Tu mi-ai spus să vin aici. Acum, șase săptămâni după ce am ajuns, îmi spui să las bursa, să las totul, și să mă duc acolo în țara nimănui?" Seagoville nu e chiar sfârșitul lumii, dar poți să-l vezi de acolo! Deci prietenul meu s-a luptat cu aceste întrebări pentru vreo trei sau patru luni și în final, într-o zi când se ruga, a spus: "Doamne, dacă chiar ești Tu cel care mi-ai vorbit, de ce nu mi-ai spus înainte de a veni la colegiu?" Dumnezeu i-a spus: "John, din două alegeri pe care Mi le-ai dat: Berkeley sau Universitatea Baptistă din Oklahoma, Oklahoma a fost cea mai bună dintre cele două. Dar dacă M-ai fi întrebat pe Mine unde vroiam Eu cu adevărat să mergi, ți-aș fi spus." Vedeți, câteodată nu-I dăm lui Dumnezeu destule opțiuni când ne rugăm, sau punem întrebările greșite. Și deci eu mă rugam: "Doamne, cum e corect: odată salvat, pentru totdeauna salvat sau salvat-pierdut, salvat-pierdut?" El mi-a spus: "Niciunul din ele." Atunci am început să studiez Scripturile pentru mine însumi. Aș putea să intru în mult mai multe detalii, dar voi discuta răspunsul doar pe scurt aici.

Găsind Echilibrul

Cred că amândouă învățăturile conțin un adevăr. Odată ce spiritul tău a fost născut din nou, este răscumpărat pentru eternitate. Spiritul tău a fost sfințit, perfecționat pentru totdeauna, și acel spirit nu poate păcătui. Așadar, un păcat nu te trimite în iad. Păcatul nu violează sau invalidează mântuirea ta. Nu cazi din har, în sensul de a comite ceea ce religia numește un păcat de neiertat, nu-ți pierzi mântuirea, și trebuie să-ți "rogi mântuirea înapoi" și apoi să fii născut din nou încă o dată. Biblia nu învață nașterea din nou, din nou. Învață că trebuie să fim născuți din nou doar o dată! Există o singură nouă naștere. Nu poți să fii născut din nou de mai multe ori. Scriptura, în Evrei 6:4-6 exprimă aceasta foarte clar.

> Căci este imposibil pentru cei ce odată au fost luminați, au gustat darul ceresc, au devenit părtași ai Duhului Sfânt și au gustat Cuvântul cel bun al lui Dumnezeu și puterile veacului care va să vină, și care totuși au căzut, să fie aduși înapoi la pocăință, întrucât ei Îl răstignesc din nou pe Fiul lui Dumnezeu și-L fac de ocară.

Aceste versete spun că dacă chiar îți respingi mântuirea, este imposibil să o mai reînnoiești. Nu există asemenea lucru ca a fi născut din nou, a deveni pierdut, și a fi născut din nou încă o dată. Terminologia poate să varieze, dar unii oameni folosesc termenul "a pătrunde prin rugăciune" când vorbesc despre mântuirea lor. Ei sunt născuți din nou, dar cred că au căzut din harul lui Dumnezeu și simt că dacă ar fi să moară în acea condiție, s-ar duce în iad. Așa că ei "pătrund prin rugăciune" până când simt că și-au luat mântuirea înapoi. Sper că vei continua să mă iubești când vei citi, dar aceasta înseamnă a fi în lanțuri! Aceasta este o erezie care i-a făcut pe o mulțime de oameni să se simtă condamnați, și nu este de la Dumnezeu. Scriptura arată clar că nu ești salvat, pierdut și salvat din nou. Pe de altă parte, nu cred că odată ce ești salvat, ești pentru totdeauna salvat, fără nici o altă posibilitate. Cred că este posibil să fii salvat și apoi pierdut — dar nu salvat, pierdut, și salvat din nou. Motivul pentru care cred că este așa e că nu este un păcat cel care te trimite în iad. Dacă așa ar fi, care păcat anume te va face să-ți pierzi mântuirea? Din nou, majoritatea oamenilor vor spune: "păcatele rele." Dar dacă păcatul te-ar face să-ți pierzi mântuirea, atunci orice păcat — chiar și mâncatul prea mult sau bârfa — te-ar costa mântuirea, și ar fi imposibil să ți-o recâștigi vreodată. Păcatul nu te face să-ți pierzi mântuirea.

Răspunsul care armonizează amândouă pozițiile este voința liberă a omului. Nu ai fost forțat să fii mântuit. Ai ales mântuirea din libera ta voință. Și Dumnezeu nu te forțează să rămâi mântuit. Chiar dacă nu poți să-ți pierzi mântuirea prin păcat, poți să-ți respingi mântuirea printr-un act al voinței tale libere. Poți să-ți respingi de bună voie mântuirea și să devii un reprobat. Sunt multe versete prin care poți să verifici aceasta. Unul din versete este în Evrei 6, unde spune în legătură cu cei care au făcut anumite lucruri, că dacă cad, este imposibil să mai fie reînnoiți prin pocăință. Am auzit întotdeauna acest lucru fiind învățat ca un caz ipotetic, și că a-i reînnoi încă o dată prin pocăință nu s-ar putea, pentru că Isus ar trebui să moară pentru ei din nou. Dar nu este ceea la ce se referă acest pasaj. Vorbește despre o persoană care se îndepărtează. Trebuie să fi avut ceva de la care să cadă. Nu poți să pierzi ceva pe care nu l-ai avut la început. Scrisoarea către Evrei descrie oameni care au devenit reprobați, sau inamici ai credinței.

> Dacă noi păcătuim în mod intenționat, după ce ni s-a făcut cunoscut adevărul, nu mai este nici o jertfă pentru păcat, ci numai o așteptare înfricoșată a judecății și a focului cumplit care-i va mistui pe cei care I

> se împotrivesc lui Dumnezeu. Oricine n-a ascultat de Legea lui Moise a murit fără îndurare, pe baza mărturiei a doi sau trei martori.
>
> Cu cât mai sever credeți că trebuie pedepsit un om care-L disprețuiește pe Fiul lui Dumnezeu, care consideră ca fiind fără valoare sângele legământului prin care a fost sfințit și care-L insultă pe Duhul harului?
>
> Evrei 10:26-29

Aceasta se adresează oamenilor care voit păcătuiesc după ce au primit cunoștința adevărului, dar de asemenea L-au călcat în picioare pe Fiul lui Dumnezeu, socotind sângele legământului ca un lucru necurat! Aceștia trebuie să fie oameni care s-au întors în mod complet împotriva lui Isus și a mântuirii. Aceștia nu sunt creștini care alunecă doar în păcat.

Cum Poate Păcatul Să Conducă La Iad

Paragraful acesta care urmează este important, pentru că dacă nu îi dai toată atenția, nu vei înțelege nimic din ceea ce am învățat aici. Dacă crezi că trebuie să menții un anumit nivel de sfințenie exterioară ca să-ți menții mântuirea și că dacă nu o faci, te vei duce în iad, atunci te vei întoarce înapoi sub robia Legii Vechiului Testament, trebuind să produci fapte ca să obții binecuvântarea lui Dumnezeu, și asta te va tortura. Vei deveni propriul tău salvator din nou, încercând să primești lucruri de la Dumnezeu bazat pe cât de bun ești în loc de ceea ce a făcut Isus pentru tine. Trebuie să recunoști că atât salvarea cât și trăirea vieții creștine sunt în totalitate opera sacrificiului Domnului Isus. Vei sta înaintea lui Dumnezeu într-o zi, și dacă El te va întreba ce-ai făcut ca să fii justificat să intri în cer, poți doar să arăți dependența ta de sângele lui Isus, nu cât de des te-ai dus la biserică, registrul cu zeciuiala ta, sau orice altceva. Dar tot ai nevoie să trăiești o viață sfântă, pentru că nu vrei să-i dai lui Satan vreo putere asupra ta. Cel mai devastant rezultat al păcătuirii în mod regulat este o împietrire spirituală a inimii tale. Dacă te duci și trăiești fără nici o jenă în păcat, inima ta va deveni împietrită față de Duhul Sfânt și față de Cuvântul lui Dumnezeu.

> Fiți atenți, fraților, ca nici unul dintre voi să nu aibă o inimă rea, necredincioasă, care să-l întoarcă de la Dumnezeul cel Viu, ci încurajați-vă unul pe altul în fiecare zi, atâta timp cât se spune „astăzi", astfel încât nici unul dintre voi să nu fie împietrit prin înșelarea adusă de păcat!
>
> Noi avem parte de Cristos dacă păstrăm cu fermitate, până la sfârșit, încrederea pe care am avut-o la început.
>
> Evrei 3:12-14

Păcatul este înșelător și va împietri inima unei persoane față de Dumnezeu și față de ceilalți oameni. Și Cuvântul lui Dumnezeu ne spune că este posibil pentru o persoană să-și împietrească inima prin păcat până la punctul în care nu îi mai pasă de Isus și de salvare. Așa cum Dumnezeu nu a obligat nici o persoană să fie salvată, Dumnezeu nu obligă nici o persoană să rămână salvată. Nu e posibil să îți "pierzi" mântuirea, dar poți să renunți la ea dacă devii destul de înșelat și împietrit! De exemplu, să discutăm păcatul de a nu merge la biserică. Motivul pentru care te duci la biserică nu e că Dumnezeu strigă catalogul și te va binecuvânta doar dacă te duci la biserică. Te duci la biserică ca să fii în preajma oamenilor care te vor zidi. Dacă stai acasă și te uiți la televizor, nu ai să auzi genul de lucruri pe care le învăț aici, și încet, încet inima ta va deveni împietrită pentru lucrurile lui Dumnezeu. Când inima ta, prin amăgirea păcatului, devine împietrită, devii obtuz și insensibil la îndrumarea lui Dumnezeu. Începi să deviezi departe și mai departe de El și de protecția Sa. A da ascultare Cuvântului Său și îndrumării Duhului Sfânt nu va mai fi important. Orice fel de păcat sau combinație de păcate pot să-ți împietrească inima. Dacă o persoană continuă să practice păcatul, va fi trasă adânc și tot mai adânc în acel păcat, și dorința ei de a-L căuta pe Dumnezeu și a-L cunoaște va deveni mai mică și mai mică. De asemenea, plăcerea pe care păcatul o oferă va avea o legătură din ce în ce mai puternică asupra persoanei, făcând să fie din ce în ce mai greu să renunțe. Într-un caz extrem, o persoană poate deveni atât de înșelată de păcat că în final poate respinge toată convingerea Duhului Sfânt și îi poate spune lui Isus să iasă din viața ei. Acesta este un rezultat foarte serios — dar posibil — al unui credincios care trăiește voit în păcat. În ultimă instanță este posibil pentru credincioși să se împietrească pe ei înșiși în asemenea măsură că conștiința lor e arsă. Ei nu mai percep ceea ce fac într-o lumină reală. Pot chiar să creadă că păcatul lor este în regulă. Sunt prinși în capcana păcatului, și Satan începe să-i tenteze să renunțe la credința în Domnul Isus Cristos. Păcatul lor nu-i va trimite în iad, dar păcatul lor îi va aduce într-o stare în care sunt duși atât de departe de părtășia cu Dumnezeu că vor fi mai sensibili la Satan decât la Dumnezeu. Când aceasta se întâmplă, ar fi posibil să spună: "Renunț la toată treaba asta cu mântuirea. Isus, ieși afară din viața mea! Nu mă mai deranja!" Pentru că ei resping mântuirea prin Isus Cristos, se duc în iad. Nu pentru că păcatul l-a făcut pe Dumnezeu să-i trimită în iad, ci pentru că ei și-au aruncat mântuirea și au respins-o prin libera lor voință. Dacă fac aceasta, Biblia declară cu claritate că este imposibil să îi înnoiască prin pocăință. Tu ești mântuit pentru eternitate. Ești în siguranță atâta timp cât vrei să fii în siguranță, dar nu poți să te culci pe o ureche din punct de vedere spiritual. Nu îți poți permite să flirtezi cu păcatul și să trăiești în păcat, pentru că îți garantez, Satan te va pune într-o situație compromițătoare. Dacă ai trăit în păcat și te-ai vândut pe tine însuți păcatului, este foarte posibil că nu vei fi capabil să extragi din rezervele spirituale necesare ca să-ți dai viața pentru Domnul. Dacă cineva ți-ar pune un pistol la cap și ți-ar spune: "Renunță la Isus sau te omor" probabil că îl vei respinge pe Domnul ca să-ți scapi propria ta viață. De ce? Pentru că chiar acum îl respingi pe Isus pentru păcatul tău. Poate că vrei bani sau sex sau droguri atât de mult că pur și simplu Îl dai pe Isus deoparte, o dată și încă o dată. Până la urmă ai putea să renunți la Isus total. Câteodată oamenii au vederea atât de scurtă că nu văd iadul venind. Sunt oameni care au făcut exact ceea ce am descris. Un pastor pe care îl voi numi Mark era cunoscut ca un mare vindecător prin credință. Am întâlnit oameni care au fost vindecați prin lucrarea lui de slujire în moduri miraculoase. Fiul unui prieten de-al meu l-a cunoscut pe Mark personal și spune că el crede că Mark era născut din nou, a avut o chemare reală asupra vieții sale, și se mișca în darurile supranaturale ale Duhului Sfânt. Dar din cauza bogăției, faimei, și a prestigiului pe care îl putea obține, Mark s-a întors de la Dumnezeu și a renunțat la El pentru ceea ce putea câștiga în carne. A început să povestească cum acum nici măcar nu mai credea că există un Dumnezeu! Dacă aceasta este adevărat, Mark ar fi un exemplu de cineva care a renunțat la credința sa și a devenit un reprobat. Mulțumiri fie aduse lui Dumnezeu că acestea sunt cazuri rare.

Condiții Pentru a Rata Raiul

Poate că cineva ar putea să spună: "Frate Andrew, nu pot să accept ceea ce spui, pentru că dacă aceasta este adevărat, atunci L-am respins pe Domnul. Odată după ce am fost născut din nou, am devenit sătul de toate astea, am renunțat la toate, i-am întors spatele Domnului și m-am întors înapoi în păcat. Vrei să spui că este imposibil pentru mine să mă pocăiesc, dar știu că m-am pocăit și că Dumnezeu m-a acceptat." Pentru o perspectivă completă asupra unei situații ca aceasta, Evrei 6:4,5 dă câteva calificări:

> Căci este imposibil pentru cei ce odată au fost luminați, au gustat darul ceresc, au devenit părtași ai Duhului Sfânt și au gustat Cuvântul cel bun al lui Dumnezeu și puterile veacului care va să vină

Nu orice persoană îl poate respinge pe Isus, devenind astfel un reprobat. Trebuie să îndeplinești anumite criterii. Acest verset spune că mai întâi, trebuie să fii luminat. Cred că asta descrie o persoană căreia Dumnezeu i s-a revelat pe Sine Însuși. **Au gustat despre darul ceresc** se referă la darul mântuirii. **Au devenit părtași ai Duhului Sfânt** se referă la o persoană care a primit botezul Duhului Sfânt și vorbirea în limbi. **Au gustat Cuvântul cel bun al lui Dumnezeu** este o persoană care a început să crească și să se maturizeze în Cuvânt, care a avut cunoștința revelată a Cuvântului. Gustarea **puterilor lumii ce va să vină** se referă la manifestările supranaturale ale darurilor Duhului Sfânt. Acest pasaj vorbește despre un creștin matur. Doar un creștin matur, care înțelege ce face, poate să cadă din credință sau să renunțe la Isus Cristos și la darul mântuirii Sale. De exemplu, dacă unul dintre copiii mei s-a enervat pe mine când era mic și a spus: "Nu-mi mai placi. M-am săturat să fiu copilul tău, și de azi înainte n-o să mai fiu un Wommack. Renunț la tine și am să fiu altcineva. Am să fug de acasă." Nu i-aș fi permis să facă asta, pentru că el nu ar fi putut să înțeleagă cu adevărat ceea ce făcea. Și legea m-ar fi sprijinit pentru că era doar un copil. Copiii mei nu puteau să renunțe legal la mine și să rupă legăturile cu mine când erau minori, dar dacă au treizeci de ani pot să-și schimbe numele, să renunțe la mine, să ceară o hotărâre judecătorească în așa fel încât să nu-i mai pot vedea, și legea îi va sprijini pe ei. Ajung la o stare de maturitate unde sunt capabili, prin libera lor voință, să termine relația noastră. Când sunt adulți, copiii mei nu pot să schimbe faptul că au fost procreați din mine, dar pot cu siguranță să schimbe orice viitoare relație cu mine. Au liberul arbitru ca să o poată face, și au ajuns la o stare de maturitate în care este posibil legal. Ei înțeleg ceea ce fac.

Am fugit de acasă când aveam 8 ani. Chiar dacă eram doar la trei case distanță, am crezut că părinții mei nu mă vor prinde niciodată. Chiar dacă deja voiam să mă întorc acasă, nu puteam să mă smeresc și să-i las să știe asta. Așa că m-am împiedicat intenționat într-un gard ghimpat și am așteptat să vină să mă prindă. M-am răzgândit cam în decursul a două-trei minute după ce am părăsit casa. Nu vroiam asta cu adevărat. Nu știam de fapt ceea ce făceam. Sunt unii oameni care niciodată nu s-au maturizat prea mult în Domnul și din cauza aceasta, au devenit frustrați, au încetat să trăiască pentru Dumnezeu, poate că s-au întors în păcat, și au comis tot felul de lucruri. Dar ei nu au atins starea în care erau de ajuns de cunoscători în lucrurile lui Dumnezeu pentru ca El să-i considere pe deplin responsabili. De aceea, ei au putut să se întoarcă, să se pocăiască, și să vină înapoi la Domnul.

Pentru că n-au socotit că merită să-L aibă pe Dumnezeu în cunoașterea lor, Dumnezeu i-a lăsat pradă minții lor corupte, ca să facă lucruri pe care n-ar trebui să le facă.

Romani 1:28

Acest verset vorbește despre a fi corupt, care este un termen folosit în Biblie pentru cineva care a refuzat mântuirea sau care a renunțat la ea și acum nu are nici o dorință de a și-o lua înapoi. Potrivit cu Scriptura, nu au vrut să-L aibă pe Dumnezeu în mintea lor, așa că Dumnezeu i-a lăsat pradă unei minți corupte. E ca și cum ei nu mai au convingere sau conștiință. Isus a spus că nici un om nu poate veni la El dacă nu este atras de Tatăl. (Vezi Ioan 6:44.) Deci Dumnezeu pur și simplu încetează să-i mai atragă. Dumnezeu încetează să mai aibă de a face cu ei pentru că L-au respins din viața lor. O persoană care este cu adevărat coruptă nu mai are convingere de păcat sau conștiință. Ei știu că se duc în iad și nu le pasă. Ei nu mai sunt convinși. Nu mai există pocăință în ei. Nu mai există remușcare în ei. Sunt mizerabili și au devenit atât de împietriți că nu îl mai au pe Dumnezeu în cunoștința lor de loc. Deci o persoană care a comis ceea despre ce vorbește Evrei 6 nu mai este preocupată de starea ei coruptă. Lor nu le mai pasă de Dumnezeu, Isus sau mântuire. Cineva ar putea să se gândească "Frate, eu am făcut vreodată asta? Am păcătuit împotriva lui Dumnezeu până într-o asemenea măsură? Am renunțat la mântuirea mea? Sunt un corupt?" Poți să știi că nu ești pierdut și fără speranță tocmai pentru că îți pasă dacă ești sau nu! Dacă încă te simți convins de Dumnezeu, dacă încă ai o dorință să te pocăiești și să te întorci la Dumnezeu, dacă încă este vreo atracție în inima ta spre Dumnezeu, atunci nu ești un corupt și nu ai comis acel "de neiertat" păcat al respingerii lui Isus și a mântuirii tale. Dar discut despre aceasta pentru că este posibil. Sunt versete care tratează renunțarea la mântuire, dar nu este niciodată ceva care s-ar putea întâmpla printr-o greșeală sau accident. Și nu este niciodată ceva care se întâmplă din cauza unui păcat anume. Încă o dată, dacă un păcat ar putea să te facă să-ți pierzi mântuirea, care păcat anume ar fi? Totuși, nu ai fost forțat în mântuire și nu ești forțat să rămâi mântuit. Trebuie să menții și să te ții tare de mărturisirea ta de credință, fără să dai înapoi. Și ca și credincios matur, dacă renunți vreodată la credința ta în Domnul Isus Cristos, poți să lepezi mântuirea. Nu poți fi jefuit de mântuirea ta, dar poți să o dai de bună voie.

Trăind liber în Isus

Majoritatea celor dintre noi nu am avut un concept corect despre ceea ce înseamnă să fii drept, pur și sfânt în ochii lui Dumnezeu. Nu am înțeles răscumpărarea eternă. Am crezut că duhul nostru era mai puțin decât ceea ce era într-adevăr. Ne-am văzut pe noi înșine ca fiind pângăriți și am venit înaintea lui Dumnezeu având imaginea aceasta despre noi înșine. E adevărat că carnea noastră este pângărită de păcat. Acesta este motivul pentru care 1 Ioan 1:9 spune:

> Dacă ne mărturisim păcatele, El este credincios și drept ca să ne ierte păcatele și să ne curățească de orice nedreptate.

Dar nu trebuie să-ți mărturisești păcatele și să fii iertat după ce ești născut din nou ca să rămâi mântuit sau ca să restabilești relația ta cu Dumnezeu. Dacă așa ar fi, ce s-ar întâmpla dacă ai uita unul? Ce te face să crezi că ai fost în stare să mărturisești fiecare păcat pe care l-ai făcut vreodată? Această gândire implică că ar fi bine să ții registre precise, pentru că dacă uiți să mărturisești un păcat te îndrepți direct spre iad. Nu, 1 Ioan 1:9 se ocupă cu tărâmul fizic. Există o curățire care are loc atunci când îți mărturisești păcatele. Restabilește calitatea părtășiei tale cu Dumnezeu, dar relația ta cu El rămâne tot timpul intactă. Problema cu păcatul din viața credincioșilor este că ei se supun pe ei înșiși lui Satan, dându-i un drept legal de a-i domina.

> Nu știți că atunci când vă dați pe voi înșivă ca sclavi ca să ascultați de cineva, sunteți sclavii celui de care ascultați: fie ai păcatului, care duce la moarte, fie ai ascultării, care duce la dreptate?
>
> Romani 6:16

Ce se întâmplă dacă ai cedat carnea ta păcatului? Ce se întâmplă dacă i-ai deschis diavolului un drum direct în viața ta? Cum poți să faci față situației? Mărturisești și spui: "Tată, îmi mărturisesc păcatul și cer iertare." Nu ceri iertare ca să-ți reinstaurezi mântuirea sau ca să-ți faci spiritul să fie născut din nou, din nou. Spiritul tău a fost curățit și născut din nou pentru totdeauna. Pur și simplu îți restaurezi intimitatea ta cu Dumnezeu și îl iei la șuturi pe diavol afară din viața ta. Dacă ești născut din nou, Dumnezeu ți-a iertat tot păcatul — trecut, prezent și viitor. Poate că întrebi: "Frate, cum poate Dumnezeu să-ți ierte un păcat pe care nu l-ai comis încă?" Ei bine, ai face bine să speri că o poate face, pentru că atunci când Isus a murit pentru păcate acum 2,000 de ani, nici unul din păcatele tale nu erau încă comise! Duhul tău uman născut din nou este iertat de toate păcatele și total perfect. Dacă păcătuim, ar trebui să ne mărturisim păcatele, dar nu ca să fim salvați din nou! Mărturisirea păcatelor noastre restaurează intimitatea noastră cu Dumnezeu, dar relația noastră cu El nu a fost ruptă. Nu vei pune niciodată la îndoială vrednicia ta de a intra cu îndrăzneală în sala tronului de har dacă înțelegi cine ești în Isus Cristos. Indiferent de cât de mare este problema, cât de teribil păcatul, cât de gravă boala, sau cât de puternic demonul, Dumnezeu este acolo pentru tine.

> Însă, în toate aceste lucruri, noi avem victorie deplină prin Cel Care ne-a iubit. Eu sunt convins că nici moartea, nici viața, nici îngerii, nici demonii10 , nici lucrurile prezente, nici cele viitoare, nici puterile, nici înălțimea, nici adâncimea, nici orice altceva din toată creația nu va putea să ne despartă de dragostea lui Dumnezeu, care este în Cristos Isus, Domnul nostru!
>
> Romani 8:38,39

Capitolul 5

Harul lui Dumnezeu

Pentru Credincios

Așadar, nimeni să nu vă condamne cu privire la ce mâncați și ce beți sau cu privire la o sărbătoare, sau la o lună nouă, sau cu privire la o zi de Sabat, care sunt o umbră a lucrurilor viitoare; trupul însă este al lui Cristos.

Coloseni 2:16,17

Vechiul Testament a fost doar o umbră a lucrurilor care urmau să vină. Potrivit cu acest pasaj din Scriptură, nu era imaginea exactă a lucrurilor așa cum Dumnezeu le-a vrut să fie. Felul în care trata oamenii în vechiul legământ nu era ceea ce El ar fi preferat. Cineva ar putea să spună: "Bine, dar de ce a făcut-o? Oare nu face Dumnezeu tot ceea ce vrea să facă?"

Aș putea să petrec mult timp vorbind despre asta, dar – în esență – nu tot ceea ce se întâmplă este ceea ce ar vrea Dumnezeu să se fi întâmplat. Asta pentru că El a dat omului liberul arbitru. Dumnezeu ne-a încredințat o cantitate imensă de autoritate când i-a dat în stăpânire pământul lui Adam (vezi Geneza 1:26,28), iar omul chiar i-a încurcat planul Său original.

Dumnezeu nu a vrut transgresiunea din Grădina Edenului. Dumnezeu nu a plănuit ca noi să trecem prin erele întunecate. Dumnezeu nu a plănuit ca Biserica să aibă Inchiziția Spaniolă sau ca oamenii care credeau în Dumnezeu să fie martirizați.

Dumnezeu nu a orchestrat aceste evenimente, și El nu controlează tot ceea ce ni se întâmplă. Pe acest pământ există forțe care operează datorită spațiului dat lui Satan și adepților lui umani, și vă garantez că au fost timpuri când Dumnezeu nu a avut voia Sa perfectă manifestată.

Voia lui Dumnezeu generală se va manifesta în final. Dumnezeu va câștiga în întregime bătălia aici pe pământ. Nu încape nici o îndoială în privința aceasta! Chiar dacă va trebui să ridice un măgar, încă o dată, ca să vorbească Cuvântul Său, El o va face, iar Isus se va întoarce victorios. Dar ceea ce spun e că Dumnezeu folosește oameni – și oamenii pot contracara, întârzia și împiedica ceea ce Dumnezeu vrea să se întâmple. Nu cred că cineva ar putea în mod total să stopeze voia lui Dumnezeu de a se împlini, dar oamenii pot cu siguranță să o împiedice. În special poți să împiedici voia Lui în viața ta.Voia Sa nu se realizează in mod automat.

Oamenii care cred că nimic nu se întâmplă în afară de ceea ce Dumnezeu comandă să se întâmple se supără foarte rău când încep sa predic despre asta! Dar nu pot să înțeleg de ce se supără așa. Dacă nimeni nu ar putea să facă nimic în afară de ceea ce Dumnezeu comandă, atunci nu aș putea să învăț despre aceste lucruri dacă Dumnezeu nu mi-ar fi comandat să o fac. Deci oamenii care cred că Dumnezeu e cauza a tot ceea ce se întâmplă se contrazic pe ei înșiși spunându-mi că nu e voia lui Dumnezeu ca eu să învăț aceste lucruri!

Adevărul este că nu fiecare cuvânt spus și nu fiecare lucru făcut este total orchestrat de către Dumnezeu. Din cauza aceasta Dumnezeu nu a putut să manifeste voința Sa perfectă sub vechiul legământ, așa cum o putem vedea prin Isus.Vechiul Legământ a fost doar un mod temporar de a trata cu omenirea, și a fost instituit doar până când a venit Isus. Este trist să o spunem, dar majoritatea creștinilor de astăzi nu fac o distincție clară între modul vechi cu care Dumnezeu trata omenirea și modul noului legământ.

Când a fost dată Legea Vechiului Testament, oamenii erau înșelați cu privire la păcat. Rasa umană nu realiza adâncimea păcatului. Dumnezeu nu a vrut cu adevărat, dar în final a trebuit să ne spună: "Uite ce este, aveți nevoie de ajutor!" Deci a dat Legea Mozaică, care a arătat cât de răi erau oamenii de fapt.

Legea a demonstrat că oamenii erau absolut fără nici o șansă de a ajunge vreodată la salvare prin mijloace proprii. I-a facut să se uite doar spre Dumnezeu pentru salvare, și un model al sacrificiului de sânge al lui Isus pe cruce a fost dat în toate sacrificiile de animale în templu.

Oricum, așa cum am spus mai înainte, Legea în ea însăși nu revela adevărata natură a lui Dumnezeu. Dumnezeu nu ar fi vrut cu adevărat să omoare o persoană care încerca să adune bețe în ziua de sabat. Nu era dorința Sa să distrugă cetăți întregi prin Iosua, dar adâncimile păcatului din Canaan erau atât de teribile, încât era forțat să impună standardul Său perfect. A întărit fiecare literă ca sa arate în mod exact cât de mortal era păcatul. Așadar, nu te puteai înșela în privința faptului ca păcatul nu era acceptat înaintea lui Dumnezeu, sub nici o formă.

Întărirea Legii a lămurit omenirii o parte din natura lui Dumnezeu, că El era sfânt și că nici un lucru necurat nu putea sta în prezența Sa, dar Isus a oferit imaginea întreagă și completă.

> Căci Legea a fost dată prin Moise, dar harul și adevărul au venit prin Isus Cristos.
>
> ***Ioan 1:17***

În Noul Testament, Isus a revelat natura perfectă a lui Dumnezeu. Isus s-a adresat femeii prinsă în actul adulterului (ceea ce e mult mai grav decât a culege bețe în ziua de sabat), arătându-i milă și iertare în loc de a o judeca și a o omorî. Acesta e adevăratul caracter al lui Dumnezeu. Prin Isus, Dumnezeu a putut să se manifeste așa cum este El în realitate.
Isus a adus adevărata operare a harului lui Dumnezeu, dar majoritatea celor dintre noi nu ne-am reînnoit mințile înspre har. Încă încercăm să îl slujim pe Dumnezeu după sistemul Legii.

"Doamne, dacă fac un anumit număr de lucruri, atunci tu mă vei recompensa şi îmi voi primi răspunsul."

Căderea din Har

Fie că recunoaştem sau nu, fiecare dintre noi a avut atitudini ale Legii– atitudini ale Vechiului Testament care au pătruns în relaţia noastră cu Dumnezeu şi au făcut ca Cristos să nu aibă efect în diverse arii ale vieţilor noastre. Biblia spune că **am căzut din har.**

> Ascultaţi! Eu, Pavel, vă spun că, dacă voi veţi fi circumcişi, Cristos nu vă va mai fi de nici un folos.
>
> Depun mărturie din nou, pentru orice om care se lasă circumcis: el trebuie să asculte de întreaga Lege.
>
> Voi, care vreţi să fiţi îndreptăţiţi prin Lege, v-aţi înstrăinat de Cristos, aţi căzut din har.
>
> ***Galateni 5:2-4***

"Căzut din har" nu înseamnă că ţi-ai pierdut mântuirea! Înseamnă că nu mai umbli în harul lui Dumnezeu, ci potrivit Legii. De fapt, tu umbli prin propriul tău efort şi prin propria ta capacitate. Nu îl foloseşti pe Isus ca Salvator – pentru că propriile tale eforturi au devenit îndreptăţirea ta faţă de Dumnezeu. Când credincioşii spun: "Doamne, uite ce-am făcut!" anulează efectul lui Cristos în aria în care au trebuinţă. Frustrează harul lui Dumnezeu. De asemenea îl ţin pe Dumnezeu la distanţă în relaţia lor cu El pentru că au în ei "cunoştinţa binelui şi răului". Aceasta e o cunoştinţă pe care am învăţat-o de la Lege. (Vă amintiţi Romani 3:20?)

Când am fost răi sau nu chiar atât de buni cât ar fi trebuit să fim, Legea ne face să ne gândim că Dumnezeu ne va da pedeapsa pe care simţim că o merităm. Lăudat fie Dumnezeu, prin sângele lui Isus noi nu primim ceea ce merităm!

Oamenii vin și-mi spun tot timpul: "Asta nu e corect! Cum de Dumnezeu a răspuns rugăciunii altcuiva și la a mea nu a răspuns? Vreau dreptate!" Ei pur și simplu nu înțeleg harul lui Dumnezeu. Cer dreptate, dar e datorită milei Lui că nu au primit ce meritau. Într-un anumit sens, a nu primi nimic e mai bine decât a primi dreptate, pentru că dacă într-adevăr am primi ceea ce merităm, pe toți ne-ar durea, în mod sigur!

Obișnuiam să developez poze pentru un fotograf și câteodată când oamenii veneau să își vadă pozele, ne spuneau: "O, poza aceasta nu mă reprezintă în mod corect." Noi îi răspundeam "Uite ce e, tu nu ai nevoie de corectitudine ci de milă!" Mulțumire lui Dumnezeu, El și-a arătat mila față de noi prin Isus Cristos.

Sunt mulți credincioși care spun: "Ei bine, nu înțeleg de ce Dumnezeu nu m-a vindecat. Nu înțeleg de ce cutare și-a primit mașina nouă iar eu nu mi-am primit-o pe a mea. Am făcut asta și cealaltă, am făcut toate faptele astea bune. Asta nu e corect!" Când credincioșii spun aceste lucruri, pur și simplu arată că nu L-au înțeles pe Dumnezeu. De fapt, depinzând de faptele lor ca să obțină ce vor, au zădărnicit harul lui Dumnezeu. Harul lui Dumnezeu prin sacrificiul lui Isus este ceea ce îi aduce totul credinciosului. Efeseni 1:3 spune că Dumnezeu deja **ne-a binecuvântat cu orice fel de binecuvântare duhovnicească în locurile cerești, în Cristos.** Dar totul vine din har prin credință, așa cum se afirmă clar în ***Efeseni 2:8,9***

> **Căci prin har ați fost mântuiți, prin credință; și aceasta nu vine de la voi, ci este darul lui Dumnezeu; nu prin fapte, ca să nu se laude nimeni.**

Un răspuns la rugăciune nu vine prin propriul tău efort. Dacă nu înțelegem aceasta, dărâmăm harul lui Dumnezeu și oprim împlinirea nevoilor noastre! Răspunsul ne este dat doar pentru că Isus a plătit pentru el cu sângele Său.

Justificat prin Credință, Nu prin Perfomanță

De aceea, fiindcă am fost îndreptățiți prin credință, avem pace cu Dumnezeu prin Domnul nostru Isus Cristos.

Romani 5:1

Întreaga carte Romani învață practic mântuirea din har prin credință - nu prin propriul tău efort, nu prin aderare la Legea Vechiului Testament, și nu prin faptele tale bune.

Paul spune că atunci când suntem justificați prin credință, avem pace cu Dumnezeu prin Domnul nostru Isus Cristos. Acesta este singurul fel în care poți într-adevăr avea pace cu Dumnezeu. Știai că acesta e și singurul mod în care poți intra vreodată, într-adevăr cu îndrăzneală, în prezența lui Dumnezeu? Intri în prezența Sa prin înțelegerea solidă a harului Lui și punându-ți credința în el. Dacă te apropii de Dumnezeu bazat pe meritul bunei tale performanțe, te vei apropia de Dumnezeu de foarte puține ori. Pentru majoritatea celor dintre noi, calitatea relației noastre cu Dumnezeu e bazată pe performanța noastră și asta e greșit. Dacă ți-ai fi bazat mântuirea pe performanța ta, nu ai fi fost mântuit!

Când oamenii realizează condiția lor păcătoasă, fie prin Lege, fie prin cunoștința bunătății lui Dumnezeu, ei încep să se uite doar spre Isus pentru mântuirea lor. Dar după aceea, după ce se nasc din nou, cumva alunecă spre gândirea că Dumnezeu se va mișca în viețile lor direct proporțional cu sfințenia lor personală. Nimic nu poate fi mai departe de adevăr! Am avut oameni care au venit la mine pentru vindecare spunându-mi: "Frate Andrew, roagă-te pentru mine. Pur și simplu nu știu ce anume e greșit. Am postit, m-am rugat, m-am dus la biserică, am studiat Cuvântul, plătit zeciuiala, am făcut tot ce știam să fac, și chiar nu înțeleg de ce Dumnezeu nu m-a vindecat." Spusele lor m-au lămurit, pentru că mi-au arătat că se uitau la ceea ce ei au făcut ca să îl determine pe Dumnezeu să îi vindece. Ei spuneau ceva de genul: "Doamne, uite ce fapte bune am făcut. Nu-i așa că ai să mă vindeci?" Dumnezeu nu te vindecă din cauza a ceea ce ai făcut. Unii dintre voi ar putea fi dezamăgiți și se gândesc: "Aha, păi atunci e păcat, m-am descurcat atât de bine!" Dar dacă ai reuși să ai o adevărată înțelegere a standardului lui Dumnezeu, ai realiza că nici unul dintre noi nu a atins vreodată standardul Său perfect! Sunt harul și mila lui Dumnezeu cele care ne aduc pace, bucurie, prosperitate, vindecare și toate binecuvântările – bazate pe sfințenia lui Isus și nu pe sfințenia noastră.

De unde a venit doctrina bazată pe performanță? Credeți sau nu, dar a venit din Cuvântul lui Dumnezeu. A fost o neînțelegere a ceea ce Dumnezeu făcea în Legea Vechiului Testament. În Deuteronom 28, versetele 1 și 2, toate binecuvântările lui Dumnezeu par a fi condiționate de cuvântul *dacă*.

Dacă vei asculta pe deplin de glasul Domnului, Dumnezeul tău, păzind și împlinind toate poruncile pe care eu ți le dau astăzi, Domnul, Dumnezeul tău, îți va da întâietate peste toate neamurile pământului.

Toate aceste binecuvântări vor veni peste tine și vei avea parte de ele, dacă vei asculta de glasul Domnului, Dumnezeul tău.

Versetul 1 spune că o persoană trebuie să îndeplinească toate poruncile lui Dumnezeu, nu doar pe unele dintre ele. Dacă te-ai opri să te gândești un moment, ai realiza că niciodată nu ai împlinit toate poruncile lui Dumnezeu.

Așadar, cine știe să facă ce este bine, dar nu-l face, este vinovat de păcat.

Iacov 4:17

Păcatul e mai mult decât a face ceea ce știi că e greșit. Ți-a spus Dumnezeu cumva să-ți iubești aproapele ca pe tine însuți? Îți garantez că nu ai îndeplinit acest lucru în mod perfect! Știi să faci mai mult bine decât faci. Dacă te uiți la păcat din punctul de vedere al lui Dumnezeu, nici unul din noi nu a atins măsura, decât Isus. Nici unul din noi nu a devenit fără păcat în trupul nostru, în acțiunile noastre și în performanța noastră. Încă ratăm ținta cu toții. Nimeni nu îndeplinește Deuteronom 28:1 și 2 cu excepția lui Isus – și a celor ce își pun credința în ceea ce Isus a făcut în loc să și-o pună în propria lor performanță. Aceasta este ceea ce Romani 5:1 ne subliniază. Vom avea pace cu Dumnezeu doar dacă suntem justificați prin credința în opera terminată a lui Isus Cristos și nu prin faptele noastre.

> prin Care am intrat, prin credință, în acest har, în care stăm; și ne lăudăm în nădejdea slavei lui Dumnezeu.
>
> Dar nu numai atât, ci ne lăudăm și în necazuri, știind că necazul produce răbdare, răbdarea produce caracter matur, caracterul matur produce nădejde, iar nădejdea aceasta nu ne dezamăgește, întrucât dragostea lui Dumnezeu ne-a fost turnată în inimi prin Duhul Sfânt Care ne-a fost dat, pentru că, în timp ce noi eram neputincioși, Cristos a murit, la timpul potrivit, pentru cei neevlavioși.
>
> Foarte rar va muri cineva pentru un om drept, deși pentru un om bun poate că cineva ar îndrăzni să moară.
>
> ***Romani 5:2-7***

Când versetul 2 vorbește despre lăudarea în **nădejdea slavei lui Dumnezeu**, se referă la anticiparea celei de a doua veniri a lui Isus, când vom fi glorificați cu El. Pavel îl laudă pe Dumnezeu că într-o zi vom fi ca și El pentru că Îl vom vedea așa cum este:

> Preaiubiților, acum suntem copii ai lui Dumnezeu. Și ce vom fi, n-a fost arătat încă, dar știm că, atunci când Se va arăta El, vom fi asemenea Lui, pentru că-L vom vedea așa cum este.
>
> ***1 Ioan 3:2***

În plus, Pavel spune că ne lăudăm în necazuri în timpul prezent. Chiar în mijlocul tuturor necazurilor și încercărilor noastre, ne putem lăuda! Pavel face o comparație: "Nu mă bucur doar pentru dulcea eternitate, gândindu-mă doar cum va fi când toți vom ajunge în cer, dar chiar în momentele dure astăzi, lăudat fie Dumnezeu, sunt complet învingător, datorită lui Isus."

Ceea ce vrea să spună este: "Ți-aduci aminte de mântuire – că Dumnezeu a murit pentru noi? Acesta este motivul pentru care pot să am încredere că am să înving în mijlocul necazurilor, pentru că știu că Dumnezeu deja a făcut toate aceste lucruri pentru mine."

Pavel pictează o comparație naturală când întreabă, "Poți să te gândești la cineva care te-ar iubi îndeajuns încât să moară pentru tine? Dacă ai fi fost un om drept – dacă performanța ta ar fi fost destul de bună – ai putea găsi pe cineva care să vrea să moară pentru tine. Dar nu ar fi prea mulți, pentru că oamenii nu sunt așa."

Apoi în versetul 8, Pavel contrazice discursul pe care tocmai l-a făcut. El spune:

Însă Dumnezeu Și-a dovedit dragostea față de noi prin faptul că, în timp ce noi eram păcătoși, Cristos a murit pentru noi.

Ceea ce spune este că Dumnezeu nu ne-a dat dragostea Sa bazându-se pe performanța noastră. Când eram încă păcătoși, chiar urându-L pe Dumnezeu, și încă văzându-ne de drumul nostru, Dumnezeu ne-a dat cadoul Său prețios, pe Domnul Isus Cristos, în mijlocul păcatului nostru. Ni l-a dat pe Isus nu când îl meritam și nu când performanța noastră l-a câștigat, ci chiar în mijlocul păcatului nostru și-a dovedit Dumnezeu dragostea față de noi .

Umblarea în Mai Mult Har

În Romani 5:9, Pavel încheie cu ideea principală din discursul său:

Deci, cu atât mai mult acum, când am fost îndreptățiți prin sângele Lui, vom fi mântuiți prin El de mânia lui Dumnezeu.

Cu alte cuvinte, dacă poți să accepți faptul că Dumnezeu și-a arătat dragostea Sa pentru tine atunci când Isus a murit pentru tine, în timp ce erai păcătos, cu atât mai mult acum că ești îndreptățit prin sângele Lui, vei fi salvat de mânia lui Dumnezeu.

Urmărești ideea lui Pavel? El spune: dacă ai putut accepta dragostea, mila și iertarea lui Dumnezeu în timp ce erai un păcătos, ar trebui să fii capabil să accepți dragostea, mila și iertarea lui Dumnezeu cu mult mai mult acum că ești copilul Său!

Ca și creștin, ar trebui să umbli mai liber în harul lui Dumnezeu decât o făceai când ai venit la El pentru mântuire. Și totuși, majoritatea celor dintre noi umblă în har mult mai puțin acum, după ce am fost salvați. Ca să-ți dovedesc, uită-te doar la cum gândeai când te-ai născut din nou. Să spunem că ai fi venit la mine ca și necredincios, spunându-mi: "Andrew, am nevoie să mă nasc din nou. Vrei să te rogi pentru mine?"

Apoi, în timp ce aș începe să mă rog pentru tine, Dumnezeu mi-ar da un cuvânt de cunoștință și ți-aș spune: "Știi ce? Ești un curvar. Trăiești în curvie!" și aș nomina și alte păcate din viața ta. Știi ce ai fi răspuns în modul cel mai probabil? Ai fi răspuns: "Da, așa este. Știu că trebuie să fiu mântuit." Te-ar fi făcut să te arunci la picioarele lui Isus și să te sprijini în mod total pe El pentru iertarea păcatelor tale, pentru că știai că El a venit să salveze păcătoșii. Deci scoaterea în evidență a păcatului tău nu te-ar fi oprit de la a primi mântuirea. Ai înțeles că Isus a venit să te salveze din păcatul tău, nu să te salveze pentru că deja ai învins păcatul. Primim mântuirea doar prin har.

Acum, ce ar fi dacă ai veni astăzi la mine ca și creștin, mi-ai cere să mă rog pentru vindecarea ta și eu ți-aș spune: "Trăiești în curvie." Știi ce ar face majoritatea oamenilor umpluți cu Duhul Sfânt, vorbitori în limbi, declaratori ai Cuvântului? Ar spune: "Știam eu. Știam că Dumnezeu nu mă va vindeca. Acum știu de ce nimic nu-mi merge. E pentru că am făcut asta, aia și cealaltă."

Oamenii devin foarte tăcuți când spun lucruri de genul acesta. Ei se gândesc: "Păi, așteaptă un minut, frate Andrew. Crezi că Dumnezeu ar vindeca un curvar?" Răspunsul meu este: "Păi, cred că dacă Dumnezeu ar mântui un curvar, atunci ar și vindeca unul."

Acum, nu scuz curvia sau orice fel de comportare păcătoasă, dar ceea ce vreau să spun este aceasta: dacă ai putut să accepți dragostea lui Dumnezeu pentru tine când erai un necredincios, ar trebui să accepți dragostea Lui cu mult mai mult acum ca și copilul Său. Indiferent de ceea ce ai făcut, Dumnezeu te iubește chiar mai mult. Și totuși cei mai mulți dintre noi credem că ne iubește chiar mai puțin! Lasă-mă să-ți dau un exemplu.

Dacă un bețiv vine la un cult în biserică, clătinându-se aproape să cadă, majoritatea creștinilor umpluți cu Duhul Sfânt se vor duce la el și-i vor spune: "Frate, Dumnezeu te iubește. Dumnezeu are ceva mai bun pentru tine. Dumnezeu îți va schimba viața." Îi vom da dragoste acelui bețiv și el va răspunde dragostei. Îl vom iubi în ciuda a ceea ce a făcut. Acesta e felul de dragoste al lui Dumnezeu, deci el va răspunde și va fi născut din nou.

Dar vai de acel bețiv dacă se va întoarce beat după ce a fost salvat. Dumnezeu l-a iubit când a fost un păcătos și un bețiv, dar dacă e născut din nou și e încă beat – Doamne ferește! Majoritatea creștinilor nu vor oferi același fel de dragoste necondiționată. Nu pare să fie ceva nepotrivit aici?

Harul nu este doar pentru cei pierduți. Și creștinii trebuie să trăiască prin har.

Continuând cu Dumnezeu În Felul În Care Ai Început

> Așadar, după cum L-ați primit pe Cristos Isus, Domnul, tot așa să și continuați să trăiți în El, înrădăcinați și zidiți în El.
>
> ***Coloseni 2:6,7***

Principiul pe care l-am aplicat ca să primim mântuirea de la Domnul ar trebui să fie același principiu după care umblăm cu Domnul. Dacă faptele noastre nu au constituit baza pentru a primi mântuirea, de ce trebuie ca faptele noastre să fie un factor în primirea vindecării de la Dumnezeu? Acest verset din Biblie spune că ar trebui să continuăm cu Dumnezeu în același mod în care am început!

Unii interpretează ceea ce spun ca și cum aș încuraja lumea să păcătuiască. Nu! Nu spun asta. Urăsc păcatul. Dar pretind că motivația unui creștin pentru a trăi o viață sfântă nu este aceea de a câștiga binecuvântările lui Dumnezeu! Acele binecuvântări au fost plătite și asigurate de Isus, nu de performanța noastră. Dumnezeu nu se mișcă în viețile noastre în funcție de performanțele noastre.

Trăiesc o viață sfântă pentru că îl iubesc pe Dumnezeu, pentru că îi face plăcere Lui, și pentru că este în natura mea să trăiesc o viață sfântă. Nu o fac ca să câștig vreun lucru de la Dumnezeu, așa cum nu aș trăi o viață sfântă ca să îmi câștig mântuirea. Când ajungi la punctul în care nu-ți mai pasă de ceea ce primești de la Dumnezeu, vrei doar să-L iubești, să-L asculți și să fii aproape de El tot timpul, nu numai că vei învinge păcatul, dar vei vedea cum binecuvântările lui Dumnezeu te vor copleși.

Cât de des ai postit, te-ai rugat, studiat Cuvântul, dus la biserică, și plătit zeciuielile înainte de a te naște din nou? Probabil că deloc. Și totuși crezi că dacă nu ai făcut totul absolut corect – de exemplu, nu ai citit Biblia sau nu te-ai rugat – atunci știi exact de ce Dumnezeu nu te-a vindecat? Crezi că e din cauză că ai eșuat undeva?

Cu siguranță, pot să mă bucur că mântuirea nu a venit printr-un randament perfect, pentru că nu m-aș fi născut din nou niciodată, și nici tu. Această mentalitate a performanței este exact motivul pentru care oamenii nu sunt vindecați.

Știai că e mai ușor să fii vindecat decât să te naști din nou? Cu toate acestea majoritatea oamenilor nu au nici o problemă cu a se naște din nou pentru că își pun credința în ceea ce a făcut Isus pentru ei. Ei știu că tot ceea ce e legat de mântuire e bazat pe ceea ce a făcut Isus, și nu folosesc ca standard performanța lor. Nu se apropie de Dumnezeu pe baza a ceea ce au făcut.

Când oamenii vin în față la altar pentru mântuire, ei nu cred că ceea ce primesc de la Dumnezeu este direct proporțional cu performanța lor. Și totuși când vine vorba de vindecare, prosperitate, eliberare, răspunsuri la rugăciune, și așa mai departe, mulți creştini cred că vor primi de la Dumnezeu potrivit cu randamentul lor.

Am auzit oameni ridicându-se și spunând: "Frate, cred că trebuie să ții cele zece porunci ale lui Dumnezeu și să trăiești o viață sfântă sau Dumnezeu nu se va mișca în viața ta." Dacă spun asta, poți să-i provoci întrebându-i: "Ești perfect? Ai vreun păcat? Ai vreo problemă în viața ta?"

Atunci îți vor răspunde: "O...păi...nu, frate. Nu spun că sunt perfect. Știu că încă eșuez." Deci cum pot să spună că dacă nu sunt sfinți Dumnezeu nu se va mișca în viața lor? De obicei răspund: "Păi, nu spun că trebuie să fii perfect." Ceea ce spun ei e că Dumnezeu dă note. Ei spun că nimeni nu poate fi perfect, dar Dumnezeu are o normă pe care trebuie să o realizeze pentru că nu-i poate respinge pe toți. Trebuie să răspundă rugăciunilor cuiva, așa că-i va lua pe primii 10 la sută, oricine ar fi. Cred că își imaginează că dacă nimeni nu face nici măcar de nota 5 la test, îi va trece oricum pe primii 10 la sută. Doar trebuie să răspundă rugăciunii cuiva, nu? Nu, nu așa funcționează.

Biblia spune că păcatul e păcat. Iacov 2:10 spune:

Căci oricine păzește întreaga Lege, dar încalcă o singură poruncă, se face vinovat de toate.

Dacă ai dus o viață bună si totuși ai greșit într-o singură parte, nu meriți nimic de la Dumnezeu! Asta este ceea ce ne comunică acest verset.

Avem nevoie să stopăm apropierea de Dumnezeu pe baza a ceea ce am făcut. Avem nevoie să venim la Dumnezeu pentru orice trebuință în felul în care am venit la El pentru mântuire: prin opera terminată a lui Isus Cristos.

Cum Să Fii Binecuvântat De Dumnezeu

Am fost crescut într-o casă creștină și m-am născut din nou la vârsta de opt ani, prima dată când am fost convins de păcat. Nu că era prima dată când păcătuiam, dar aceea a fost prima dată când am simțit cum Dumnezeu mă convingea de păcat. M-am pocăit la acea primă dată și l-am primit pe Domnul. La opt ani cât aveam, am știut că am păcătuit împotriva lui Dumnezeu și că am făcut-o conștient. Dumnezeu mi-a vorbit în mod real despre asta iar eu m-am pocăit, l-am mărturisit pe Isus ca Domnul meu, și am fost convertit în mod autentic. În clasa a treia am fost luat în râs pentru că eram creștin. Nu că mă comportasem rău înainte, dar m-am schimbat atât de mult încât oamenii au putut nota o diferență. A fost o convertire autentică cea care a avut loc în mine.

Pentru că am crescut într-o biserică baptistă, părinții mei îl cunoșteau pe Domnul. Dar în realitate nu am fost expus la bunătatea, harul, și mila lui Dumnezeu. În schimb, am fost bombardat cu: "Trebuie să trăiești o viață sfântă. Trebuie să faci asta, și Dumnezeu nu te va binecuvânta până nu o vei face." Întreaga mea viață a devenit o viață de performanță, încercând să câștig binecuvântările lui Dumnezeu. Aceasta e tortură, și dacă te relaționezi cu ceea ce spun, știi și tu că e o adevărată tortură să încerci să ai o performanță destul de bună pentru a câștiga favoarea lui Dumnezeu.

Din cauza aceasta, niciodată nu am spus o înjurătură în toată viața mea. Niciodată nu am luat o înghițitură de alcool în toată viața mea. Niciodată nu am fumat o țigară. Nu am făcut niciodată vreo ceva ce majoritatea oamenilor spun că este greșit. Și totuși, până când nu l-am primit pe Isus ca Domnul și Salvatorul meu, mă îndreptam spre iad la fel ca toți ceilalți. Cine ar vrea să fie cel mai bun păcătos care a ajuns vreodată în iad? Poate că am fost mai bun decât tine, dar aveam nevoie de un Mântuitor exact la fel ca toți ceilalți.

Poate că te descurci destul de bine. Poate că te descurci mai bine decât ai făcut-o vreodată, dar nu ești încă perfect. Deci nu încerca să te apropii pe Dumnezeu pe baza a ceea ce ai făcut. Acesta este motivul pentru care Satan ne învingea – pentru că nu am rămas fermi în Cristos pe baza a ceea ce El a făcut pentru noi.

În schimb, spuneam: "Doamne, uite ce am făcut. Nu e de ajuns?" Și Satan va spune, "Nu, nu e de ajuns. Ești o vechitură amărâtă. Nu ai făcut asta și nu ai făcut cealaltă." Deci ne învârtim de colo colo încercând să câștigăm binecuvântările lui Dumnezeu. Asta nu e bine!

Deuteronom 28:15-68 vorbește despre blestemele care vor veni peste noi dacă nu împlinim sută la sută toate poruncile – nu doar 99 la sută, ci toate. Știm că aceste blesteme nu vor veni peste credincioși, pentru că **Galateni 3:13** spune:

Cristos ne-a răscumpărat de sub blestemul Legii, devenind blestem pentru noi – căci este scris: „Blestemat este oricine e atârnat pe lemn.".

Când Legea spune că Dumnezeu va pune pacoste, mucegai, abcese, tumori, și toate aceste lucruri peste oamenii neascultători, amintește-ți că creștinii au fost răscumpărați de la aceasta. Știu că Dumnezeu nu pune aceste lucruri peste mine pentru că sunt răscumpărat de sub blestemul Legii.

Majoritatea creștinilor pot să accepte că sunt răscumpărați din blesteme, dar în general nici chiar creștinii umpluți cu Duhul Sfânt nu sunt destul de îndrăzneți să reclame de la Satan binecuvântările enumerate în Deuteronom 28:1-14. Aceiași creștini care acceptă că Dumnezeu nu va pune bolile diavolului asupra lor ezită să reclame binecuvântările lui Dumnezeu! De ce? Pentru că știu în inimile lor că nu au împlinit versetele 1 și 2, care spun că toate binecuvântările sunt condiționate, bazate pe împlinirea tuturor poruncilor.

Dacă vei asculta pe deplin de glasul Domnului, Dumnezeul tău, păzind și împlinind toate poruncile pe care eu ți le dau astăzi, Domnul, Dumnezeul tău, îți va da întâietate peste toate neamurile pământului. Toate aceste binecuvântări vor veni peste tine și vei avea parte de ele, dacă vei asculta de glasul Domnului, Dumnezeul tău.

Deuteronom 28:1,2

Oamenii au interpretat aceste versete spunând: "Voi împlini lucrurile acestea și voi avea binecuvântările lui Dumnezeu." Dar scopul lui Dumnezeu nu a fost ca tu să ții toate poruncile și să câștigi binecuvântările Sale, ci să-ți arate mai degrabă că nu aveai nici o șansă de a ține toate poruncile.

Și poruncile lui Dumnezeu erau mai mult decât Cele Zece Porunci. Știai că, ca și sfânt al Noului Testament, ești un preot pentru Dumnezeu? (Vezi Apocalipsa 1:6.) În Levitic, capitolul 22 sunt enumerate calitățile unui preot. Știai că preoții Vechiului Testament nu puteau avea vreun neg nicăieri pe corp? Știai că nu puteau avea un nas plat sau încovoiat sau un defect de vedere? Așa că, dacă porți ochelari sau ai vreo pată pe corp, nu ești calificat să fii un preot.

De ce a spus Dumnezeu așa ceva? Pentru că urăște oamenii cu nasuri plate sau curbate, sau oamenii cu negi pe corp? Nu, Dumnezeu nu-i urăște. Dumnezeu îi iubește. Dar dacă ai să te încrezi în propria ta perfecțiune ca să te apropii de Dumnezeu, El îți va arăta ce înseamnă perfecțiune.

Dumnezeu nu i-a creat pe Adam și pe Eva cu alunițe pe corp. Aceasta e ceva ce s-a întâmplat după Cădere. Dumnezeu nu i-a creat pe Adam și pe Eva cu nasuri strâmbe, neregulate, sau turtite. Nu i-a creat cu o vedere proastă. I-a făcut perfecți, și dacă nu ești perfect, atunci nu ești calificat să fii preot. Iar dacă încerci să combini cele două legăminte, nici măcar nu vei fi calificat pentru mântuire!

Dumnezeu nu ți-a spus despre negi pentru ca toată lumea să se ducă la doctor să-și scoată negii, ci mai degrabă pentru a te face să încetezi de a te mai încrede în tine însuți și în perfecțiunea ta pentru mântuire. El nu ne-a spus în Deuteronom 28:1,2 să păzim și să împlinim cu grijă toate aceste lucruri cu scopul de a ne face să ne petrecem restul vieții încercând să fim perfecți. Așa cum am spus mai înainte, Dumnezeu a dat poruncile ca să demonstreze nevoia noastră pentru un Salvator perfect.

Beneficiile Ascultării

Cred totuși că sunt avantaje în a asculta poruncile lui Dumnezeu. De câte ori vei reuși să îl asculți pe Dumnezeu, vei închide o ușă lui satan de fiecare dată. Dacă împlinești 50 la sută din poruncile lui Dumnezeu, vei închide ușa lui Satan 50 la sută din timp. Și acesta este un lucru bun. Cu cât mai puțin loc îi vei da lui Satan, cu atât îți va fi mai bine.

E bine să începi să trăiești în sfințenie, dar adu-ți aminte că nu vei fi niciodată sută la sută perfect. Ideea e că ai nevoie să-L cauți pe Dumnezeu cu toată inima, dar nu-ți pune niciodată încrederea în ceea ce ai făcut. Spune doar: "Tată, încă mă încred în harul și în mila Ta pentru mântuirea mea, pentru vindecare, pentru bani, pentru orice."

Câteodată, probabil că ai auzit pe câte cineva predicând: "Dacă vrei binecuvântările lui Dumnezeu, trebuie să asculți cu atenție vocea Domnului Dumnezeului nostru. Dacă nu ești binecuvântat, e pentru că nu ești destul de silitor. Începe săți petreci o oră în plus vorbind în limbi în fiecare zi. Studiază Cuvântul mai mult. Fă cutare și cutare lucru."

Nu e nimic greșit în a studia Cuvântul și a te ruga în limbi mai mult, dar dacă faci aceste lucruri ca să îl strângi cu ușa pe Dumnezeu să-L faci să te binecuvinteze, te asigur că vei ieși cu mâinile goale. Dacă motivația ta este: "Doamne, uite ce am făcut. Acum trebuie să produci pentru că am făcut asta!," vei sfârși prin a fi total sterp, pentru că nu ai înțeles adevăratul scop pentru care Dumnezeu a dat Legea.

Perspectiva Corectă a Noului Testament

Modul în care un sfânt al Noului Testament ar trebui să citească Deuteronom 28:1,2 e că binecuvântările lui Dumnezeu vin în viața mea pentru că Isus a îndeplinit toate poruncile lui Dumnezeu, și le-a păzit cu grijă. Potrivit cu Romani 8:4, Isus - care a fost perfect - S-a dat pe Sine însuși, **pentru ca cerința dreaptă a Legii să fie împlinită în noi.**

Datorită lui Isus, toată dreptatea Sa mi s-a încredințat mie, pentru ca dreptatea Legii să fie împlinită în mine. Conform cu 2 Corinteni 5:21, **El, pentru noi, L-a făcut păcat pe Cel Ce n-a cunoscut păcatul, pentru ca, în El, să devenim dreptatea lui Dumnezeu.** Ar trebui să declar că acum sunt dreptatea lui Dumnezeu, așa că toate aceste porunci sunt împlinite iar binecuvântările vin peste mine și mă copleșesc prin ceea ce a făcut Isus!

Acesta e modul în care un credincios al Noului Testament ar trebui să privească lucrurile. Dar când citim ceva de genul acela, marea noastră majoritate va spune, "O Doamne, trebuie să muncesc. Trebuie să fac mai mult. Trebuie să țin mai multe porunci. Trebuie să fac mai bine." Nu, nu acesta a fost scopul acelor porunci. Acesta este motivul pentru care Dumnezeu nu a comunicat aceste porunci omenirii pentru cel puțin 2000 de ani. Știa că oamenii vor înțelege greșit.

Adevărata atitudine a Noului Testament pe care Dumnezeu vrea ca să o aibă creștinii e că Dumnezeu este dragoste și că nu vrea să le impute păcatul asupra lor. Chiar dacă Dumnezeu nu îți judeca păcatul din cauza lui Isus, păcatul tot te distrugea, și Satan nu numai că te omora dar te trimitea și în iad. Așa că Dumnezeu a făcut o ispășire pentru păcat. L-a făcut pe Isus mielul de sacrificiu și a pus păcatul tău pe El –pe corpul Lui de pe cruce - pentru ca tu, fiind mort față de păcat, să trăiești pentru neprihănire. Isus a purtat păcatul tău așa că, potrivit cu Evrei 10:1,10, și 14, ești făcut perfect și sfânt. Nu ar trebui să mai ai nici măcar conștiința păcatelor făcute.

În relația ta cu Dumnezeu, nu ar trebui să vii înaintea lui spunând: "O Doamne, sunt atât de nevrednic. O Doamne, știu că nu mă vei binecuvânta."

> Așadar, fraților, întrucât îndrăznim să intrăm în Locul Preasfânt prin sângele lui Cristos, prin calea cea nouă și vie pe care El a deschis-o pentru noi prin draperie, care este trupul Său.
>
> ***Hebrews 10:19,20***

Trebuie să vii cu îndrăzneală la Dumnezeu pe calea nouă și vie pe care Domnul a consacrat-o pentru noi prin carnea Sa. Noi avem îndrăzneală să intrăm chiar în Sfânta Sfintelor din cauza Domnului Isus, și să venim la Dumnezeu exact cum o făceau Adam și Eva înainte să păcătuiască! Nu trebuie să-ți concentrezi atenția pe tine însuți și pe căderile tale, fii doar atât de conștient de Dumnezeu că chiar dacă ai fi gol nu ai vedea diferența, pentru că atenția ta e toată asupra lui Dumnezeu.

Știai că acest privilegiu e al tău și că acesta e felul în care vede Dumnezeu lucrurile? Aceasta e adevărata natură a lui Dumnezeu și felul în care se uită la tine. Dumnezeu te vede prin ceea ce Isus a făcut, și aceasta e probabil diferit de cum te vezi pe tine însuți. Tu înclini să te uiți la carne și să-ți vezi greșelile și căderile, dar Dumnezeu se uită la inima ta.

Dumnezeu este spirit, și cei ce-L adoră trebuie să-L adore în spirit și în adevăr. (Vezi Ioan 4:24.) Când vii înaintea lui Dumnezeu, El vede spiritul tău. Și în ființa ta spirituală, potrivit cu Efeseni 4:24, tu ești drept și cu adevărat sfânt. Ești pur și pe atât de sfânt pe cât vei fi vreodată. Spiritul tău născut din nou nu va fi niciodată făcut mai bun decât este acum!

Spiritul tău nu este pătat de păcat. Dacă păcătuiești, spiritul tău nu este pătat de acel păcat. Spiritul tău este atât de sfânt și pur și drept pe cât va fi cu Dumnezeu în cer de-a lungul întregii eternități. Este perfect, este în imaginea lui Dumnezeu, și este exact cum El este. **Prima Ioan 4:17** spune:

În felul acesta, dragostea lui Dumnezeu este făcută desăvârşită în noi, pentru ca noi să avem îndrăzneală în ziua judecății, fiindcă în lumea aceasta cum este El, aşa suntem şi noi.

Acesta este felul în care Dumnezeu te vede, deci aşa eşti. Și când vii la Dumnezeu pentru că ai păcătuit și ai nevoie de iertare, sau vrei doar să petreci timp cu El și să-L adori, stai înaintea Lui în dreptatea lui Isus Cristos!

Capitolul 6

Cunoașterea Lui

Pentru că nu am înțeles într-adevăr natura și caracterul lui Dumnezeu, nu am înțeles cum se comportă cu noi și de ce ne răspunde la rugăciuni. Din această cauză, nu i-am permis lui Dumnezeu să se manifeste cu adevărat în viețile noastre prin împlinirea nevoilor noastre.

> Dumnezeiasca Lui putere ne-a dăruit toate lucrurile necesare pentru viață și evlavie, prin cunoașterea Celui Ce ne-a chemat prin slava și virtutea Lui.
>
> ***2 Peter 1:3***

Dumnezeu a spus toate lucrurile necesare pentru viață și evlavie. Știai că asta include vindecare, bucurie, eliberare, prosperitate, și tot ceea la ce te poți gândi care rezultă din mântuirea noastră? Aceste "toate lucrurile" necesare pentru viață și evlavie vin prin cunoașterea Lui. Dacă ai avut cunoștință greșită despre Dumnezeu, nu ai să primești "toate lucrurile" care sunt necesare pentru viață și evlavie!

> **Căci așa cum gândește în sine, așa și este el.**
>
> ***Proverbe 23:7*** (vezi note NTR)

Așa cum omul gândește în inima lui, așa și este el. Dacă ai avut o impresie greșită despre Dumnezeu, atunci te vei aștepta la lucruri greșite de la Dumnezeu – judecată, pedeapsă, și refuzul a ceea ce tu ceri în rugăciune. Vei primi ceea la ce te aștepți sau crezi. Isus a afirmat asta în multe locuri, inclusiv Matei 9:29,**Să vi se facă după credința voastră.**

Mulți credincioși au o atitudine și o concepție greșite despre Dumnezeu - Cine este El și cum lucrează în viețile lor.
Nu spun că au înțeles totul greșit, dar ce spun e că oamenii au încurcat lucrurile în teologia lor, iar Satan se folosește de această neînțelegere ca să îi oprească de la a primi plinătatea a ceea ce Dumnezeu a asigurat pentru ei prin Isus.

Dacă poți să accepți aceasta și îl lași pe Dumnezeu să ți se reveleze pe Sine Însuși în felul în care Isus a revelat natura și caracterul Său, atunci îți promit că vei ajunge să-L cunoști cu adevărat pe Dumnezeu, așa cum este. Și apoi vei descoperi că credința nu e ceva greu. De fapt, e greu să nu-l crezi pe Dumnezeu odată ce Îl cunoști cu adevărat.

Pentru o persoană care îl cunoaște cu adevărat pe Dumnezeu în mod intim și are o revelație reală a caracterului Său, va fi aproape imposibil să creadă atunci când Satan spune: "O, Dumnezeu nu te va binecuvânta. Credința ta nu va funcționa pentru tine." Diavolul nu ar putea să înșele o persoană care îl cunoaște cu adevărat pe Dumnezeu și are o relație intimă cu El.

Știi ce fel este Dumnezeu când te uiți la Isus. Odată ce înțelegi adevărata natură a lui Dumnezeu și cât de mult te iubește, dragostea lui Dumnezeu va fi revărsată din plin în inima ta. Cred că aceasta te va ajuta să ai o nouă relație cu Dumnezeu, una pe care nu ai mai avut-o niciodată înainte.

Vreau să spun și că eu nu scuz păcatul. Nu spun că lui Dumnezeu nu-i pasă dacă păcătuiești sau nu. Dar Isus este plata pentru acel păcat, și Isus a purtat tot păcatul acela ca să nu mai trebuiască să ne separe de Dumnezeu.

A Avea Nevoile Tale Împlinite

Cred cu adevărat că una dintre cele mai mari probleme din corpul lui Cristos e că noi am învățat mecanismul creștinismului – am învățat despre credință, am învățat despre confesarea Cuvântului lui Dumnezeu, am învățat despre dare și primire, și așa mai departe. Am învățat să facem toate aceste lucruri și de multe ori încercăm să le punem în practică fără să-L cunoaștem cu adevărat pe Dumnezeu.

Mecanica creștinismului nu produce "toate lucrurile" de care avem nevoie de la Dumnezeu pentru viețile noastre. Fructul vieții creștine vine din a-L cunoaște cu adevărat pe Dumnezeu. Credința vine din a-L cunoaște pe El, și a-L cunoaște pe El este baza a orice altceva în creștinism. Amintiți-vă, 2 Petru 1:3 spune că prin cunoștința de Dumnezeu El ne-a dat toate lucrurile care sunt necesare vieții și evlaviei. Dacă l-am cunoaște cu adevărat pe Dumnezeu, atunci toată plinătatea Sa ar fi deja a noastră. Cred în prosperitate și nu sunt împotriva ei, dar câteodată aproape că ai nevoie să exagerezi lucrurile ca să oprești oamenii de la a te înțelege greșit. Oamenii au tendința să te pună doar într-una din aceste categorii – ești ori un predicator al credinței ori un predicator al dubiului și îndoielii. Ei ori cred că trebuie să conduci o mașină de lux ca să dovedești că ai credință ori că Dumnezeu vrea ca tu să umbli cu găuri în pantofi. Ei bine, eu nu sunt nici unul din aceștia!

Cred în prosperitate, dar cred de asemenea că dacă oamenii l-ar cunoaște într-adevăr pe Dumnezeu, toate învățăturile care ar fi necesare pentru prosperitate ar încăpea într-un degetar. Nu ar fi necesar să cunoști toate dedesupturile tehnicii prosperității, pentru că dacă tu cauți cu adevărat mai întâi împărăția lui Dumnezeu și dreptatea Sa, toate celelalte îți vor fi adăugate pe deasupra! (Vezi Matei 6:33.)

Mulți dintre noi au luat învățătura noastră despre credință și au folosit-o ca să ia case, mașini și tot mai multe lucruri, dar cred că Dumnezeu ne-a dat credință ca să-l biruim pe diavol, să-i dărâmăm împărăția, și să aducem oamenii la nașterea din nou, la vindecare, și la eliberare. Nu e nimic greșit cu casele și cu mașinile, dar nu pentru acestea este credința. Nu ar trebui să-ți petreci prea mult timp crezând pentru lucruri materiale. Dumnezeu nu ne-a dat credință pentru a putea avea lucruri. Dumnezeu ne-a dat credință pentru ca noi să-L putem cunoaște pe El. Apoi, pentru că viața Sa divină curge prin noi, mașini, case, bărci și lucruri ca acestea ne vor găsi. Vor veni ca produse secundare ale credinței noastre în El. Sunt acel extra care vine după ce căutăm mai înâi împărăția lui Dumnezeu și după ce îl cunoaștem pe El. Dacă noi l-am cunoaște cu adevărat pe Dumnezeu într-un mod intim, cred că Dumnezeu ar revărsa asupra noastră mai mult decât am putea folosi.

Simt cumva părinții că trebuie să-i învețe pe copiii lor cum să-i manipuleze – cum să declare, să ceară exact în modul potrivit, și să facă toate lucrurile corecte – ca să le dea hrana, hainele, bicicletele, și toate lucrurile de care au nevoie? Nu, nu facem așa ceva! Pur și simplu ne iubim copiii și le dăm ce le trebuie din cauza dragostei noastre. Ne face plăcere să le facem cadouri surpriză. Cu cât mai mult vrea să ne binecuvinteze Tatăl nostru Ceresc? Avem nevoie să ne reînnoim mințile și să eliminăm învățătura care ne-a spus că Dumnezeu ne vrea săraci, bolnavi și proști, dar de asemenea trebuie să avem grijă să nu ne concentrăm atenția pe mecanica a cum funcționează lucrurile. Nu spun că învățăturile despre credință și prosperitate sunt învățături false, dar ele pot fi chiar folosite să distrugă oamenii dacă aceștia nu-și au viețile concentrate pe figura centrală a întregii vieți – Domnul Isus Cristos. Când suntem preocupați mai mult cu mecanica funcționării creștinismului și cu toate lucrurile pe care trebuie să le facem decât suntem să îl cunoaștem pe Isus, creștinismul nostru nu funcționează. Pe de altă parte, dacă îl cunoaștem pe Isus, dacă chiar îl cunoaștem, e uimitor ceea ce putem face și cât de binecuvântați devenim fără să știm prea multe formule.

Nu Părăsi Niciodată Prezența Sa

Când soția mea și cu mine am început să slujim pentru prima dată, nu știam prea multe despre credință. Nu auzisem despre "învățătura credinței", și totuși am văzut oameni vindecați, am văzut nevoi financiare împlinite, și am văzut orice fel de miracol pe care ți l-ai putea imagina. Nu pot să-ți spun exact cum s-a întâmplat, doar că îl căutam pur și simplu pe Dumnezeu cu toată inima noastră. Îți garantez că aceasta are un mare efect asupra eliberării binecuvântărilor lui Dumnezeu în viața ta! Nu știam prea multe despre tehnicile credinței, dar îl știam pe El și îl căutam în continuu.

E rușinos, dar de multe ori când oamenii încep să învețe lucruri despre Dumnezeu, relația intimă pe care o aveau cu El încep să o înlocuiască cu cunoștința despre El.

La început când oamenii se nasc din nou, pare că totul merge strună pentru ei. Ei se roagă, cer, și primesc tot ceea ce cer. Miracolele se întâmplă, și apoi după o vreme par că seacă. Ei se întorc la oamenii care i-au condus la Domnul ca să-i întrebe de ce. Și câteodată li se spune: "Ei bine, luna de miere s-a terminat. Acum trebuie să începi să crești și trebuie să începi să primești lucrurile în felul în care toți ceilalți le primesc."

Dar ceea ce s-a întâmplat cu adevărat e că a fost o perioadă de timp când mintea lor a fost atât de fixată pe Dumnezeu, că ei umblau pur și simplu în prezența Sa. Aveau o realizare conștientă a Lui, și erau copleșiți cu dragostea Sa – și credința lucrează prin dragoste! (Vezi Galateni 5:6.) Prin lovituri grele, necunoscând Cuvântul lui Dumnezeu, și cu Satan care le aducea probleme, ei s-au depărtat de la acea primă dragoste și au început să vadă cum totul se destramă. Și apoi inșii religioși le-au spus că acesta e felul în care trebuie să stea lucrurile – că Dumnezeu face acestea ca să-i crească, să-i învețe, și să-i maturizeze.

Adevărul este că poți trăi într-un tărâm în care ești atât de intim cu Dumnezeu încât lucrurile funcționează pentru tine. Și cred că acesta este un stil de viață spre care Dumnezeu își atrage oamenii Săi; e şi motivul pentru care noi vorbim despre a-L cunoaşte pe Dumnezeu. Dacă noi ne concentrăm cu adevărat pe a-L cunoaşte pe Dumnezeu, toate celelalte vor funcţiona din această cauză.

Avem nevoie de cunoştinţa Cuvântului lui Dumnezeu pentru că Cuvântul Său revelează adevărata Sa natură. Dar când Cuvântul devine detalii tehnice şi formule privind mecanica creştinismului, ne-am pierdut concentrarea. Facem lucrurile prin propria noastră putere şi nu prin puterea Sa. Încercăm să-L impresionăm cu fapte în loc să fim impresionaţi de lucrarea Sa şi de cine este El. Dacă dezvolţi relaţia ta personală cu Dumnezeu până la punctul în care înţelegi cât de mult te iubeşte Dumnezeu, nu va fi greu să crezi că El îţi va asigura cei 20 de lei pentru cumpărături, îţi va vindeca bătătura de la deget, şi îi va atrage pe cei nesalvaţi pe care îi iubeşti în împărăţie.

Cei care se chinuie să primească de la Dumnezeu au nevoie doar să îl cunoască mai bine. Când ei îl vor cunoaşte cu adevărat, vor fi convinşi în mod total de dragostea Sa şi de angajamentul Său pentru ei. Atunci nu vor mai avea frica că El nu va împlini nevoile din viaţa lor.

Capitolul 7

Bunătatea lui Dumnezeu în Slujire

Majoritatea dintre noi suntem mai conștienți de păcatul nostru decât de bunătatea lui Dumnezeu, și din nefericire acest lucru e cel mai evident când încercăm să slujim cuiva. Tot ceea ce Satan trebuie să facă e să ne aducă în minte vreun eșec și să spună: "Puterea lui Dumnezeu nu va funcționa pentru tine pentru că nu ai fost deajuns de bun!" și suntem înfrânți. Majoritatea creștinilor vor cădea de acord cu diavolul imediat, crezând că Dumnezeu se mișcă în viața noastră proporțional cu performanța noastră. În momentul în care acceptă acel gând, sunt condamnați la eșec, pentru că performanța lor nu va fi niciodată deajuns de bună să le câștige binecuvântările legământului cu Dumnezeu.

Când stau în fața oamenilor ca să slujesc, în ochii lor responsabilitatea cade aproape întotdeauna asupra mea ca să-și vadă nevoile împlinite! Aceasta ar putea copleși un slujitor al Cuvântului foarte ușor. De fapt, aceasta e o greșeală din partea oamenilor, pentru că trebuie să fie Dumnezeu cel care le vindecă corpurile și le salvează căsniciile. Performanța mea nu ar putea fi niciodată destul de bună ca să îl forțeze pe Dumnezeu să împlinească toate nevoile omenirii. Nu am fost în slujire foarte mult, și totuși aș putea să numesc chiar acum o mulțime de oameni cărora le-am predicat din toată inima și cu care am împărtășit Cuvântul lui Dumnezeu, dar sunt morți astăzi pentru că nu au profitat de adevărul pe care li l-am prezentat. Sunt o mulțime de oameni pe care Cuvântul lui Dumnezeu ar fi putut să-i elibereze, dar ei nu l-au pus la inimă.

Nu încerc să profețesc aceasta, dar sunt persoane care vor citi această carte și vor lăsa ca ceea ce am spus să le intre pe o ureche și să iasă pe cealaltă. Nu și-l vor pune în inimă și nu o să-și reînnoiască mintea cu adevărul Cuvântului lui Dumnezeu, și vor muri rămânând în felul lor vechi de gândire și de credință. Nu spun aceasta ca pe o proclamare negativă, ci doar scot în evidență ceea ce Marcu, capitolul 4, spune în parabolă. Când semănătorul seamănă sământa, aceasta cade pe toate felurile de pământ și nu va prinde rădăcini în unii oameni. Isus a spus în Matei 11:15, **Cel ce are urechi, să audă!** E un adevăr că unii oameni nu permit lor înșiși să audă cu adevărat Cuvântul lui Dumnezeu. Biblia spune în 1 Petru 5:8 că diavolul dă târcoale ca un leu care rage, căutând pe cineva să înghită, și sunt unii oameni care vor citi aceasta dar vor continua totuși să-l lase pe Satan să-i devoreze. Aceasta nu este voia lui Dumnezeu! De aceea, când știu că am de a face cu viețile oamenilor, voi face tot efortul ca să exprim clar ce am de spus.

Pentru un slujitor al Cuvântului, responsabilitatea de a-și face slujba bine devine grea câteodată. Aceasta a fost adevărat în viața mea, și cred că de asemenea este adevărat pentru majoritatea slujitorilor lui Dumnezeu pe care i-am cunoscut. Prima dată începi să gândești: "O Doamne, trebuie să am ungerea Ta." Deci începi să postești, să te rogi, și să faci lucrurile corecte. Dar este o tendință de a le face cu atitudinea: "Doamne, fac toate aceste lucruri și acum știu că ai să mă ungi." Poți să începi să te încrezi în ceea ce ai făcut în loc să te încrezi în Dumnezeu.

Ironia este că, indiferent de cât de multe ai făcut, Satan poate foarte ușor să vină la tine și să-ți împungă conștiința în vreo zonă unde nu ești perfect, și uite așa ți se duce credința că Dumnezeu îți va răspunde! Dacă încrederea ta este în propria ta bunătate, Satan te poate înfrânge în mod regulat.

Satan poate să trimită exact acea persoană pe care nu o suporți în drumul tău și să o facă să spună ceva care chiar te deranjează! Ai un gând păcătos la adresa lor, și imediat după ce Satan ți-a înscenat această situație, îți va spune: "Gunoi al pământului! Ce te face să crezi că Dumnezeu te va folosi în slujire? Ce te face să crezi că Dumnezeu te va folosi ca să salveze sau să vindece pe cineva?"

Când am început prima dată să slujesc, obișnuiam să cred că Dumnezeu mă va folosi în funcție de performanța mea. De fiecare dată când am văzut în mine însumi un eșec de orice natură, mi-am pierdut toată credința de a mă ruga pentru oameni. Mă gândeam: "O Doamne, cum ai putea să mă folosești?" Și pentru majoritatea oamenilor, acesta e probabil felul în care încă gândesc!

Promisiuni, Promisiuni!

Din primele timpuri în lucrarea mea am avut o dorință de a sluji în mod eficient, și totuși eram complet frustrat pentru că făceam toate aceste lucruri pe care tocmai le-am descris ca să-l determin pe Dumnezeu să mă folosească. Îmi amintesc că m-am dus într-o seară la un studiu biblic când eram pastor al unei biserici din Colorado. Hotărâsem că voi posti, mă voi ruga, și studia Cuvântul toată ziua pentru că am simțit că trebuia să o fac. Trecuseră zile de când studiasem mai mult Cuvântul, pentru că îmi petreceam tot timpul slujind altora. Deci am pus deoparte acea zi pentru post, rugăciune, și studiu al Cuvântului. Oameni care voiau rugăciune au trecut pe acasă pe la mine de dimineață până seara. M-am rugat, dar nu în relația mea personală cu Dumnezeu. Am fost complet orientat spre ceilalți oameni toată ziua. Nu am studiat Cuvântul așa cum plănuisem. Nu am avut un singur minut liber toată ziua ca să îl petrec în Cuvânt. Citeam Cuvântul, dar altora.

Un om pe care încercasem să îl conduc la Domnul a trecut pe la mine și a vrut să mă scoată în oraș să îmi ofere prânzul. Știam că era voia lui Dumnezeu, așa că am ieșit și am mâncat de două ori mai mult decât mâncam de obicei – cu toate că plănuisem să postesc – și i-am vorbit acestui om. În acea zi am încălcat fiecare promisiune pe care i-o făcusem lui Dumnezeu! Pe drumul spre studiul meu biblic (cam 60 de kilometri de condus) mă simțeam îngrozitor. Am spus: "Doamne, am încălcat fiecare promisiune pe care ți-am făcut-o." Apoi Satan s-a repezit și a început să îmi amintească versete. Satan poate să ne citeze versete exact cum a făcut cu Isus în pustie. A început să îmi amintească de versete care spuneau lucruri ca: e mai bine să nu faci un jurământ decât să faci unul și să nu ți-l ții, și toți mincinoșii își vor avea partea în iazul de foc care arde cu pucioasă. (Vezi Eclesiastul 5:5 și Apocalipsa 21:8.) Mă năpădeau toate aceste gânduri și mă simțeam atât de jos încât am spus: "Doamne, cum ai putea să mă folosești vreodată?" Vedeți, gândeam că Dumnezeu mă va folosi doar în măsura în care voi avea o bună performanță. Am spus: "O Doamne! O Doamne!" Încercam să-mi depășesc eșecul, și am început în sfârșit să apelez la mila Sa, spunând: "Doamne, dacă nu vrei să o faci pentru mine, fă-o pentru acești oameni pe care am să-i slujesc. Ce se va întâmpla cu ei? Nu-i lăsa să piardă ungerea Ta doar pentru că am fost un fals toată ziua." După o vreme petrecută în felul acesta de rugăciune, în sfârșit am spus: "O Doamne, fă-o din cauza a cine este Isus." Imediat ce am spus aceasta, Domnul mi-a vorbit și mi-a spus: "Din cauza cui credeai că am s-o fac?" Sincer, credeam că Dumnezeu mă va folosi din cauza a ceea ce plănuisem să fac în acea zi. Dintr-odată, m-a izbit realizarea faptului că Dumnezeu nu m-a folosit niciodată din cauza a ceea ce făcusem. El m-a folosit în ciuda performanței mele! Dumnezeu nu a avut niciodată pe nimeni calificat care să lucreze pentru El, în afară de Isus. Oricine primește ceva de la Dumnezeu o primește prin harul Său, și realizarea acestui fapt m-a eliberat.

În prezent, dacă Satan vine la mine și-mi spune: "Andrew, ești cel mai jalnic lucru de pe fața pământului. Ce te face să crezi că Dumnezeu te va folosi pe tine?" În loc de a mă certa cu el și de a mă justifica pe mine însumi, spun doar: "Vinovat! Dar slavă lui Dumnezeu pentru Isus. Le spun oamenilor despre

Cine este Isus, și dacă au nevoie de vindecare, mă voi ruga pentru ei în numele lui Isus. Vor fi vindecați prin Cine este Isus!" Știți că am văzut mai multă manifestare a puterii lui Dumnezeu de când mi-am schimbat gândirea decât am văzut vreodată încercând s-o câștig? Asta înseamnă că mă apuc să trăiesc o viață ușuratică, păcătoasă? Nu, dar nu-mi folosesc sfințenia ca bază a relației mele cu Dumnezeu, pentru a fi folosit de către Dumnezeu, sau pentru a primi de la Dumnezeu.

Motivul Pentru a Trăi Sfânt

Motivul pentru care trăiesc o viață sfântă e că dacă nu trăiesc în sfințenie, Satan va avea intrări libere în viața mea și nu pot sămi permit "luxul" de a avea probleme aruncate de Satan peste mine. Încerc să trăiesc sfânt ca o apărare împotriva diavolului și ca o mărturie pentru ceilalți oameni. I-o ofer lui Dumnezeu pentru că știu că îi place când mă vede comportându-mă în modul în care vrea El, dar nu o folosesc niciodată ca pe o bază a relației mele cu El. Din cauza aceasta, Satan nu mă poate face să mă plimb în sus și în jos emoțional în funcție de performanța mea.

Am găsit un loc de pace în Domnul chiar în punctul în care am ratat în ceea ce privește performanța. Acum, când cineva are nevoie de rugăciune, nu mă uit la cât de bine sau de rău am trăit în acea zi. Știu că pot să obțin rezultatul meu cel mai bun pentru oameni în rugăciune și să-i vindec prin cine este Isus, nu prin cine este Andrew Wommack. Slavă lui Dumnezeu!

Am văzut unele din cele mai mari miracole când am fost cel mai jos. De fapt, cred că asta este ceea ce Pavel intenționa să spună în 2 Corinteni 12:10 când a scris: **Când sunt slab, atunci sunt tare.** Pentru că Pavel și-a recunoscut slăbiciunea și a înțeles acest adevăr al harului și sfințeniei în perspectiva corectă, când a eșuat în performanța personală s-a putut încrede în Dumnezeu și mai mult.

Când căutam să fac totul corect aveam tendința de a gândi: "Doamne, Tu doar introdu-mă în seara asta și îți promit că pot să mă descurc mai departe, pentru că sunt capabil." Dar când am dat-o în bară cu pregătirea mea, am tendința de a spune: "Doamne, aici trebuie să lucrezi Tu!" Și de obicei acestea sunt momentele când sunt folosit cel mai mult de El, pentru că mi-am pus toată atenția asupra Lui.

> Dar Dumnezeu a ales lucrurile nebune ale lumii, ca să le facă de rușine pe cele înțelepte; și Dumnezeu a ales lucrurile slabe ale lumii, ca să le facă de rușine pe cele tari. Dumnezeu a ales lucrurile de jos ale lumii și lucrurile disprețuite, ba chiar lucrurile care nu sunt, ca să anuleze lucrurile care sunt. Astfel, nimeni nu se poate lăuda înaintea lui Dumnezeu.
>
> ***1 Corinteni 1:27-29***

Dumnezeu a ales lucrurile nebune ale lumii ca să le facă de rușine pe cele înțelepte, lucrurile slabe ale lumii, ca să le facă de rușine pe cele tari, și lucrurile care nu sunt, ca să anuleze lucrurile care sunt. Știi care e motivul principal pentru care Dumnezeu face aceasta? E pentru că oamenii care sunt nebuni, slabi, sau disprețuiți în ochii lumii - care nu au talent natural sau abilitate - sunt oamenii care se încred în Dumnezeu cel mai mult. Ei nu au altceva în care să se încreadă!

Motivul pentru care adesea Dumnezeu nu-i folosește pe cei tari e că aceștia trebuie mai întâi să renunțe la a se încrede în ei înșiși. Motivul pentru care oamenii necivilizați din Africa sunt vindecați atât de ușor e că ei nu au pe nimeni pe care să se sprijine în afară de Isus. Ei nu au medicină modernă și o farmacie la colț. Dacă au o durere de cap, Isus este singurul lor vindecător. Dumnezeu nu ne folosește prea mult dacă ne încredem în puterea și în propriile noastre capacități. Dumnezeu folosește adesea oameni de la țară ca să predice evanghelia, exact pentru același motiv. Îți garantez, când ești un țăran din Texas ca mine, atunci știi că trebuie să fie Dumnezeu în locul tău sau nu ai nici o șansă. Și este libertate în aceasta!

Încercând să fim performanți sub lege, am făcut exact contrariul a ceea ce Dumnezeu a intenționat. Ne-am gândit: "O Doamne, acum știu ce trebuie să fac ca să văd binecuvântările tale în lucrarea mea de slujire." Nu, nu e deloc așa. Dar după ce eșuăm în mod jalnic, știm atunci că nu putem să o facem și tindem să ne încredem în Isus, în loc să ne încredem în noi înșine.

Natura lui Dumnezeu nu a fost niciodată să îți dea o listă cu toate lucrurile pe care le ai de făcut. Natura lui Dumnezeu nu a fost niciodată să te omoare cu pietre pentru că ai adunat bețe în ziua de sabat. Poate că nu ai studiat deloc Cuvântul Său, dar Dumnezeu te iubește chiar dacă nu mai deschizi Cuvântul în nici o altă zi din viața ta.

Te rog, nu înțelege greșit! Ungerea lui Dumnezeu nu e bazată pe performanța ta, dar dacă nu deschizi Cuvântul, ești prost, pentru că acolo sunt cuvintele vieții. De acolo primești revelație despre adevărata Sa natură și ești eliberat.

Du-te la biserică, dar nu te duce la biserică ca să poți gândi: "Doamne, m-am dus la biserică. Cum de nu faci nimic mare în viața mea?" Nu, motivul pentru care te duci la biserică nu e pentru că Dumnezeu ține evidența și îți dă buline maro sau steluțe de fiecare dată când te duci la o întâlnire. Ai nevoie să te duci la biserică ca să-L adori și să-L auzi pe Dumnezeu, să crești prin relațiile pe care le ai cu ceilalți credincioși, și să găsești locul în care Dumnezeu vrea ca tu să slujești. Du-te la biserică pentru că îți va transforma viața. Dumnezeu încă te iubește dacă stai acasă, dar tu pur și simplu nu vei cunoaște dragostea lui Dumnezeu fără părtășie și interacțiune într-o biserică.

Dacă nu trăiești o viață sfântă, Dumnezeu te va iubi exact la fel. Dar dacă nu trăiești o viață sfântă, ai să-i dai lui Satan drum liber în viața ta și nu ai să prosperi în astfel de condiții.

Relația Este Totul

Câteodată lăsăm cunoștința să ne îngâmfe, ceea ce ne face egocentrici și atenți mai mult la ceea ce Dumnezeu poate face pentru noi decât la Dumnezeu însuși. Ei bine, nu trebuie să alegem ori pe una ori pe cealaltă. Nu trebuie să ne întoarcem înapoi la starea în care tot ceea ce facem e să Îl iubim pe Dumnezeu și să-i fim devotați, dar neștiind care e voia Lui pentru viața noastră.

Nu suntem nevoiți să trăim în robia păcatului și a Legii toată viața noastră. Nu suntem nevoiți să gândim că Dumnezeu nu vrea să ne facă să prosperăm. Nu suntem nevoiți să gândim că Dumnezeu ni i-a luat pe cei iubiți ai noștri. Nu trebuie să ne întoarcem la toate acele tradiții ale oamenilor, dar, de asemenea, nu trebuie să ne întoarcem în starea în care tot ceea ce facem e să studiem doar cunoștința doctrinală despre Dumnezeu.

Putem să-L cunoaștem pe El și să pășim într-o viață îmbelșugată și să avem credința care dă roade în viața noastră. Cred sincer că Dumnezeu încearcă să aducă aceste lucruri în armonie în corpul lui Cristos. El ne cheamă într-o relație cu El în care El este cu adevărat centrul a tot. Am auzit un cântec care spune: "Mi-aș da ultima suflare ca să îl cunosc pe El în moartea Lui și în învierea Lui." Aceasta e o afirmație puternică - și e mai ușor de cântat decât de trăit - dar la aceasta ne-a chemat Dumnezeu.

Îmi amintesc că am fost prin Catacombele din Roma când aveam doar 18 ani. Am citit despre persecuțiile și necazurile creștinilor de la început. Ei și-au îngropat morții în pereți dealungul catacombelor pentru că altfel romanii ar fi profanat locurile lor de îngropare. Credincioșii își aduceau morții în catacombe pentru înmormântare pentru că acolo se întâlneau ca biserică, și astfel puteau să protejeze mormintele celor dragi.

Erau inscripții pe tot lungul Catacombelor, și îmi amintesc că una dintre ele spunea: "Aici zac soția și fetița mea de trei ani care cu onoare și-au dat viața în Circus Maximus astăzi."

M-am simțit copleșit de dedicarea care impregna acel loc. M-a convins.

În America de astăzi, oamenilor nu le place să se gândească la a muri pentru Domnul. Ne place să ne gândim la a trăi pentru Domnul. Ne place să ne gândim la a avea abundența lui Dumnezeu și lucruri materiale. De ce suntem mulți dintre noi speriați sau nedoritori să ne dăm ultima suflare doar ca să-L cunoaștem pe Dumnezeu în moartea și învierea Sa, să ne reordonăm prioritățile așa încât Dumnezeu să fie centrul vieții noastre?

Dacă aș cere cuiva dintr-odată să se ridice chiar în mijlocul uneia din întrunirile mele și să împărtășească unele din lucrurile bune pe care le-au primit de la Dumnezeu, în majoritatea cazurilor ei ar avea limba împiedicată și nu ar fi în stare să se exprime. De ce aceasta? Pentru că în momentul în care se ridică, ei sunt ego-conștienți. Ei nu mai au atenția pe ceea ce Dumnezeu a făcut, ci se întreabă: "Ce vor gândi despre mine?"

În momentul în care suntem preocupați cu eul, vă asigur că nu suntem un bun canal pe care Dumnezeu să-l folosească în slujire. Cred că acei creștini de la început și-au pierdut simțul de eu în Isus. El era viața și respirația lor, și acesta e modul în care avem nevoie să fim. Când trăim așa, trăind pentru El și nu pentru noi înșine, sfințenia iese afară de la sine. Și când slujim oamenilor, Dumnezeu ne poate folosi mult mai efectiv și mai puternic.

Capitolul 8

Vinul Cel Nou al lui Dumnezeu

Am învățat despre natura și caracterul lui Dumnezeu și despre motivul pentru care trebuie să înțelegem adevărata Sa natură. Am văzut cum s-a comportat Dumnezeu cu omenirea din timpul lui Adam până în prezent. A fost și încă mai este multă confuzie legat de aceasta, și de aceea o mulțime de oameni nu înțeleg adevărata natură a lui Dumnezeu. Acum știm de ce majoritatea oamenilor cred că Dumnezeu e cumva schizofrenic.

El se comportă într-un fel în vechiul legământ și în alt fel în noul legământ iar mulți oameni încearcă să le combine pe cele două, fără prea mult succes.

Am văzut de asemenea că Vechiul Testament este complementar Noului Testament și că indică spre Noul Testament. Vechiul Testament a pregătit calea pentru Noul Testament. Dar dacă încerci să trăiești sub vechiul legământ și sub noul legământ în același timp, e ca și cum ai lua vin nou și l-ai pune într-un burduf vechi, acesta va ceda și vinul se va împrăștia. E ca și cum ai încerca să pui un petic nou pe o haină veche. Când o vei spăla și o vei usca, peticul cel nou se va micșora, dar haina cea veche nu va mai avea capacitatea de a se micșora, deci veșmântul se va rupe. Acesta este exact lucrul despre care Isus vorbea când a spus aceste parabole în Luca 5: 36-39. Liderii religioși încercau să-L facă să opereze după tradițiile și doctrinele Vechiului Testament. Când Isus spunea că nu poți să pui vin nou în burdufuri vechi, se referea la vechiul legământ și noul legământ.

Prin bunătate și credincioșie (*adevăr* în ebraică - n.t.) este ispășit păcatul și prin frica de Domnul se îndepărtează omul de la rău.

Proverbe 16:6

Când te gândești și analizezi, această afirmație este plină de putere. Prima parte spune că prin bunătate și adevăr este ispășit păcatul. Singura cale prin care vei putea fi transformat vreodată este dinăuntru spre afară prin bunătate și adevăr, pentru că este bunătatea lui Dumnezeu cea care conduce oamenii la pocăință.

Ultima parte a acestui verset spune că prin frica de Domnul se îndepărtează omul de la rău. Prin mânie, judecată, condamnare, și frică poți să faci oamenii să se îndepărteze de la rău. Deci Dumnezeu a dat Legea Vechiului Testament, o administrare a mâniei și condamnării, să țină oamenii departe de păcat. A tratat cu severitate păcatele oamenilor, nu pentru că aceea a fost atitudinea adevărată a lui Dumnezeu sau adevăratele sale sentimente pentru noi, dar El a indus frică în noi, care ne-a oprit de la a ne duce spre păcat.

Legea a limitat creșterea păcatului pe pământ și ne-a făcut să ne îndepărtăm de la rău, dar nu ar fi putut să facă nimic care să schimbe omul dinlăuntru, să ne schimbe cu adevărat dorințele și să lucreze transformarea dinlăuntrul nostru pe care Dumnezeu o dorește. Legea era complet impotentă să facă aceasta.

Cărțile Noului Testament ca Romani, Galateni, și Evrei îți arată că Legea Vechiului Testament a fost slabă și nerentabilă, și că a sosit timpul să dispară. Galateni 3:12 spune că Legea Vechiului Testament **nu aparține credinței**. Romani 14:23 spune că **orice nu vine din credință este păcat.** Acestea sunt afirmații tari. Pentru scopul său, Legea Vechiului Testament a fost bună, dar a fost total incapabilă de a ne schimba pe dinăuntru. Bunătatea și adevărul fac aceasta. Tot ceea ce a făcut Legea a fost să ne îndepărteze de rău pentru un timp și să reveleze nevoia pe careo aveam pentru un Salvator. Dar când Isus a venit în viețile noastre cu îndurare și adevăr, păcatul a fost curățat din omul nostru interior.

Transformarea Noului Testament

O bună prietenă de-a mea, pe care am să o numesc Jill, are o mărturie lungă pe care am să o rezum pe scurt. De la vârsta de 6 ani a fost orfană. Ea a avut două surori. Mama ei a murit iar tatăl ei nu s-a putut împăca cu situația. A devenit un bețiv și a dus-o pe Jill într-un orfelinat. I-a spus: "Mă voi întoarce și te voi vizita în fiecare sâmbătă." El s-a întors în următoarea sâmbătă, dar după aceea nu a mai venit niciodată. În fiecare sâmbătă se pregătea, se îmbrăca, încerca să arate cât de bine putea, și îl aștepta pe tatăl ei să vină. Toți prietenii săi îi spuneau "Nu va veni niciodată. Va face și el ca toți ceilalți." Dar ea le spunea: "Nu tatăl meu. Tatăl meu mă iubește. Va fi aici." A așteptat an după an, dar tatăl ei nu a apărut niciodată. Jill a început să simtă această respingere. A început să simtă o foame de a se simți iubită de către oameni. În fiecare sâmbătă oamenii veneau la orfelinat să aleagă copiii pe care urmau să-i adopte. Jill întotdeauna se îmbrăca cu cea mai bună rochie, își pieptăna părul, și se comporta cât de bine putea. Chiar dacă inima ei se rupea înăuntru, își punea pe față un zâmbet și arăta fericită, pentru că atunci când oamenii se duc să aleagă un copil din orfelinat, de obicei ei nu îl aleg pe cel care are mai multă nevoie. În mod normal nu-l aleg pe cel care plânge și are cu adevărat nevoie să îl iubească cineva. De obicei îl aleg pe cel care îi poate binecuvânta cel mai mult. Majoritatea oamenilor au motivația de a face plăcere eului lor în tot ceea ce fac . Acesta e modul în care își aleg partenerul. Ei nu aleg o persoană pe care pot să o iubească și să o ajute să fie tot ceea ce Dumnezeu vrea să fie, ci aleg pe cineva despre care cred că o să-i ajute pe ei să fie ceea ce vor să fie, cineva care le va da ceva. Ei sunt ca un aspirator, întotdeauna aspirând totul spre ei.

Oamenii care veneau la orfelinat nu erau diferiți. Ei nu alegeau copilul care avea nevoie de ei cel mai mult. Mai degrabă, ei îl alegeau pe cel de care ei aveau nevoie cel mai mult. Și Jill își dădu seama, fără ca cineva să o învețe, că trebuia să "joace teatru" ca să fie acceptată. Așa că a început să "joace."

Acționa întotdeauna cu cel mai bun comportament al ei. Jill nu a fost niciodată adoptată, dar a reușit să depășească câteva obstacole naturale. A fost aleasă președintă a clasei în școala superioară și a devenit Miss Regina Școlii. A fost votată ca cea mai populară și cea mai frumoasă. A câștigat toate aceste premii, dar înlăuntru era întotdeauna doar o chestiune de performanță pentru ea. Nu a lăsat niciodată pe nimeni să vadă adevărata ei identitate. Întreaga ei viață era o performanță, încercând să câștige favoarea alcuiva. Într-un sfârșit, a întâlnit un om pe care am să-l numesc Ray. El a fost crescut într-o familie creștină și a avut multe lucruri în favoarea sa. El a iubit-o și s-au căsătorit. Când s-au căsătorit, ea nu știa să gătească, așa că stătea trează ore îndelungate, învățând să gătească, încercând să prepare mesele. Deși gătitul ei încă lăsa mult de dorit, Ray mânca oricum ce pregătea ea și nu spunea nimic. Jill își interpreta rolul întotdeauna. Nu îl lăsa niciodată pe soțul ei să o vadă cu bigudiuri sau fără să fie machiată. Se trezea dimineața devreme ca să se asigure că era perfectă ca pentru pozat înainte ca cineva să o vadă. Ea încerca să fie perfectă și să păstreze în picioare această imagine a perfecțiunii.

Într-un final, după câteva luni de căsătorie, Jill și Ray au început o contrazicere. Au început să vorbească despre acel subiect și Jill a început să plângă. Mai târziu povestea că atunci când plângea, arăta oribil. Nasul i se înroșea, ochii îi erau roșii, machiajul i se scurgea, și deci și-a stricat aparența ei artificială. A crezut că în sfârșit și-a ruinat performanța. Chiar în mijlocul certei a început să-i spună lui Ray: "Ei bine, părăsește-mă. Știu că ai să divorțezi de mine. Părăsește-mă și ai să vezi dacă o să-mi pese." Ray s-a uitat la ea și i-a spus: "Să divorțez de tine? Doar pentru că ne contrazicem asupra unui lucru? Jill, te iubesc. Nu contează dacă suntem de acord asupra oricărui lucru sau nu, nu am să divorțez de tine." Cuvintele acelea pe care el i le-a spus au produs o ruptură totală în ea. Nu-i venea să creadă că cineva o iubea chiar când performanța ei nu era perfectă. În ciuda insecurității ei, soțul ei a iubit-o necondiționat și a făcut-o să înțeleagă că nu trebuia să fie performantă ca să îi câștige dragostea. Dacă era în cea mai proastă fază a ei, el încă o iubea exact la fel. Dragostea lui Ray, care era dragostea necondiționată a lui Isus la lucru în viața ei, i-a schimbat viața lui Jill. Astăzi ea este una din cele mai sigure persoane pe care le cunosc pentru că nu mai trebuie să fie performantă și e în siguranță în dragostea lui Dumnezeu pe care a văzut-o prin soțul ei. I-a trebuit o lungă perioadă de timp, dar acum ea are una din cele mai puternice mărturii pe care le-am auzit vreodată. Când Jill își istorisea povestea, mă identificam cu ea. Nu încercam să fiu performant pentru alți oameni, dar încercam să fiu performant pentru Dumnezeu. Crescând, m-am străduit să fiu performant spiritual toată tinerețea mea. Am încercat s-o fac cât de bine am putut, fără să beau nicodată vreo înghițitură de alcool și fără să fumez vreodată o țigară. Am fost pe atât de bun pe cât îmi era posibil să fiu, și totuși probabil că m-am simțit mai condamnat și mai neiubit de Dumnezeu decât majoritatea celor care erau afară în lume trăind în păcat, bând, petrecând, făcând lucruri care le plăceau, și toate celelalte. Am povestit cum mă trezeam acoperit de o sudoare rece din vise în care fumasem o țigară și ardeam în iad pentru aceasta. De asemenea, când intram într-un restaurant și vedeam cuvinte murdare scrise pe zidurile toaletelor, doar pentru că am văzut acele cuvinte, ieșeam de acolo simțindu-mă total vinovat, condamnat și pângărit. Îmi lua câteodată zile și săptămâni să trec peste expunerea la acel gen de lucruri. Cei care nu au fost crescuți într-un ambient religios strict, sub condamnare, cu greu pot înțelege aceasta.

Cât Păcat Trebuie Ca Să Fie Prea Mult?

Păcatul este mortal, chiar dacă raționezi rece, spunând: "Ei, toată lumea trăiește așa." Poate că nu te simți atât de vinovat cum mă simțeam eu, dar păcatul tot te va distruge și te va trimite în iad dacă nu îți dai viața lui Isus și dacă nu ai o relație intimă cu Dumnezeu.

Chiar dacă părea că trăiesc o viață sfântă după standardul majorității oamenilor, eram copleșit de vină și condamnare, nu aveam nici o libertate să-L iubesc pe Dumnezeu sau să intru într-o relație intimă cu El. Eram la distanță de El și mi se părea foarte formal. Știam că Isus era Salvatorul meu și știam că eram născut din nou, dar nu aveam o relație intimă cu Tatăl. Nici nu puteam atât timp cât simțeam atâta vină și condamnare. Era imposibil.

Găsesc că în starea aceasta sunt creștinii de astăzi, și motivul este concepția Vechiului Testament despre Dumnezeu. Oamenii nu și-au reînnoit mințile și cred că Dumnezeu așteaptă să-i prindă și să-i pedepsească. Ei cred că de prima dată când păcătuiesc Dumnezeu nu-i va binecuvânta și nu va vrea să aibă de a face nimic cu ei.

Dacă ești născut din nou și umplut cu Duhul Sfânt, probabil că nu crezi că te va trimite în iad, dar crezi că nu îți va da ceea ce ai cerut. Probabil simți că El te va lăsa "să fierbi în suc propriu," pentru că simți că o meriți. Majoritatea celor dintre noi cred că vom primi ceea ce merităm de la Dumnezeu, în afară de iad. Dar aceasta nu e natura lui Dumnezeu.

Când oamenii nu cunosc acest fapt, încearcă încontinuu să aibă o bună performanță și să facă destule eforturi ca să poată spune: "Doamne, uite ce am făcut. Nu e de ajuns?" Nu va fi niciodată de ajuns. Niciodată nu vei face destul. Dacă ai fi putut face de ajuns ca să câștigi binecuvântările lui Dumnezeu, Isus nu ar fi avut nevoie să vină și să moară pentru tine! Acum asta nu înseamnă că ar trebui să trăiești în păcat și să spui: "Slavă lui Dumnezeu, îmi primesc binecuvântările doar prin ceea ce a făcut Isus. Cred că am să trăiesc în păcat dacă tot nu contează." Nu! Lipsa de sfințenie va afecta relația ta cu diavolul! Satan te va domina dacă nu trăiești o viață sfântă, și aceasta va afecta în final abilitatea ta de a avea părtășie cu Dumnezeu.

Hoțul nu vine decât ca să fure, să înjunghie și să distrugă.

Ioan 10:10

Nu-i da loc diavolului în viața ta. Dacă trăiești în păcat, îți pătezi conștiința și îți împietrești inima față de Dumnezeu. Dar dragostea lui Dumnezeu rămâne la fel față de tine, indiferent de ceea ce ai făcut. Acum, acest concept îi va face pe mulți oameni să spună: "Asta nu pot să o cred, frate. Nu pot să cred că Dumnezeu iubește o persoană care are păcat în viața ei."

Ei bine, lasă-mă să-ți pun o întrebare. Ce este păcatul? Păcatu nu sunt doar lucrurile greșite pe care le-ai făcut, ci **Iacov 4:17** spune:

Așadar, cine știe să facă ce este bine, dar nu-l face, este ***vinovat*** de păcat.

Dacă folosești aceeași definiție pe care o dă Biblia pentru păcat, atunci absolut nimeni dintre noi nu practică revelația pe care Dumnezeu ne-a dat-o. Nu e nici o persoană care s-a rugat fără încetare, care a căutat mai întâi împărăția lui Dumnezeu tot timpul, care s-a pus deoparte pe sine însuși ca să îl servească numai pe Dumnezeu în fiecare moment, și care i-a iubit pe ceilalți oameni ca pe sine însuși.

Nu există nici o persoană care să umble în perfecțiune în orice arie a vieții ei. Dacă nu umbli în perfecțiune, atunci trăiești în păcat! Și dacă așa este, și dacă Dumnezeu nu poate avea părtășie cu nimeni care are păcat în viața sa, atunci Dumnezeu nu are pe nimeni cu care să aibă părtășie! Dacă Dumnezeu nu se poate folosi de nimeni care este un vas murdar, atunci Dumnezeu nu are pe nimeni de care să se folosească.

În spiritul meu sunt total curat, dar în carnea mea, încă mai fac greșeli. Nu sunt perfect și nici tu nu ești. Unii oameni spun: "Pur și simplu nu cred că Dumnezeu te-ar putea iubi cu păcat în viața ta." Acei oameni au început să împartă păcatul pe categorii! Ei spun de fapt. "Ei bine aceste păcate sunt destul de rele ca să te pună rău cu Dumnezeu. Dar celelalte sunt undeva la limită. Iar celelalte păcate sunt mici păcate nevinovate pe care toți le facem, dar poți să ieși basma curată cu ele." Acesta nu e deloc sistemul lui Dumnezeu! **Iacov 2:10** spune:

Căci oricine păzește întreaga Lege, dar încalcă o singură poruncă, se face vinovat de toate.

Oameni buni, asta e ceea ce spune Biblia. Așa vede Dumnezeu lucrurile!

Nu am spus în viața mea o înjurătură, dar sunt vinovat de blasfemie pentru că Legea lui Dumnezeu este un standard perfect. Legea este ca un imens geam de sticlă în fața scenei după care predic, care se întinde pe toată lățimea sălii. Pot să trag un glonț prin el, să împing un pian în el sau să trec cu camionul prin el. Mărimea obiectului nu contează. Dacă spargi geamul, e spart! Și ca să repari, trebuie să îl înlocuiești pe tot. Standardul lui Dumnezeu este perfecțiunea. Ori ești perfect ori, dacă nu, ai nevoie de un Salvator care a fost perfect pentru tine. Deci chiar dacă am încălcat Legea lui Dumnezeu în ceea ce poate părea nesemnificativ în comparație cu alți oameni, am încălcat total Legea. Legea lui Dumnezeu este perfecțiunea. Sunt sute de porunci diverse, dar trebuie să le împlinești pe toate ca să fii perfect. Dacă ai făcut orice greșeală, ai încurcat-o cu Dumnezeu dacă nu ai un Salvator. Și dacă ai Salvatorul, atunci ai să scapi prin îndurarea lui, prin ceea ce Isus a făcut pentru tine Dacă este așa, atunci de ce oamenii ar trebui să se obosească încercând să trăiască o viață sfântă? Pentru că Satan va profita dacă îi deschizi ușa chiar și numai cât o crăpătură. Îi ajunge și unul la sută din viața ta, ca să-și bage degetul în crăpătură și acel deget îți poate întrerupe intimitatea pe care o ai cu Dumnezeu. Când păcătuiești și îi dai loc diavolului, aceasta este exact ceea ce se întâmplă, îi dai diavolului locul lui Dumnezeu din viața ta. Deci imediat ce realizezi, pocăiește-te pur și simplu, restabilește intimitatea ta cu Dumnezeu, și concediază-l pe diavol!

Supuneți-vă deci lui Dumnezeu! Împotriviți-vă diavolului, și el va fugi de la voi. Apropiați-vă de Dumnezeu, și El Se va apropia de voi!

Curățiți-vă mâinile, păcătoșilor! Curățiți-vă inimile, oameni cu două feluri de gândire!

Iacov 4:7,8

Acesta este vinul cel nou: să te supui lui Dumnezeu, să te apropii de El, și apoi în tăria, în încrederea și în dragostea Sa necondiționată, mâinile tale sunt curățate și inima ta este purificată de păcat. Ați observat că Iacov s-a referit la credincioși ca și păcătoși? Mulți dintre noi vor admite că sunt cu două feluri de gândire din când în când, dar să nu cumva să îndrăznească cineva să ne numească păcătoși! Și care este răspunsul lui Dumnezeu în Cuvântul Său? Să te supui Lui. Să te apropii de El. Și apoi poți fi curățat, purificat și să scapi de diavol.

Scopul Legii din Vechiul Testament a fost să îți dea un standard atât de strict, încât să-ți treacă prin minte că pur și simplu nu poți reuși și că ai nevoie de un Salvator. Acest lucru e adevărat înainte de a fi salvat și după ce ai fost salvat. Isus te-a salvat de la moartea eternă și de la iad în momentul în care te-ai născut din nou, dar El te salvează din păcat, boală, sărăcie, și de toate atacurile diavolului în toate zilele vieții tale.

Religia spune: "Dacă vei face aceste lucruri și vei ține Legea, atunci Dumnezeu te va binecuvânta." Religia vrea ca tu să încetezi de a te mai încrede în Dumnezeu și să te uiți la tine însuți. Încetează de a te mai încrede în propriul tău efort și în propria ta performanță ca să câștigi binecuvântările lui Dumnezeu! Începe să depinzi și să te odihnești în ceea ce a făcut Isus în loc să depinzi de ceea ce ai făcut tu. Când faci aceasta, pui vinul nou într-un burduf nou!

Capitolul 9

Puterea și Bucuria în a fi Dumnezeu - Conștient

În Vechiul Testament, am văzut mânia și judecata lui Dumnezeu asupra oamenilor din cauza neascultării lor. El încerca să le arate că dacă nu erau perfecți nu meritau lucruri de la El. Bineînțeles, nimeni nu putea fi perfect în vechiul legământ, pentru că nu avuseseră o transformare a inimii. De aceea Dumnezeu i-a pus să ofere sacrificii animale și să dea oferte materiale. Dar cartea Evrei subliniază foarte clar că avem o jertfă care a pus capăt tuturor jertfelor. Isus a făcut un sacrificiu pentru păcate pentru totdeauna. El ne-a curățit, așa că nu mai avem nevoie să avem conștiința păcatului.

Legea Vechiului Testament ne-a dat cunoștința păcatului, cea care a cauzat cea mai mare problemă a omenirii după cădere: egoismul. Oamenii care sunt obsedați cu ținerea Legii sunt obsedați cu păcatul lor, ceea ce înseamnă că își focalizează întotdeauna atenția asupra lor înșiși. Credincioșii ca aceștia sunt totdeauna conștienți de sine. Ei sunt conștienți dacă au păcătuit sau nu au păcătuit. Sunt foarte sensibili la cât de vinovați sunt și cât de mult au eșuat.

Egocentrismul îl va distruge pe un credincios în relația lui cu Dumnezeu.

Cred că ceea ce ne împiedică pe cei mai mulți dintre noi să fim mărturii pentru Isus cum ar trebui să fim, e că suntem atât de conştienţi de cât de departe suntem de perfecţiune, încât ne simţim vinovaţi când încercăm să vorbim în acelaşi timp despre Domnul cu alţi oameni. Suntem conştienţi de noi înşine, gândindu-ne încontinuu:"Ce vor gândi oamenii aceştia despre mine?"

Calea pentru a deveni îndrăzneţ este să devii atât de conştient de Dumnezeu că uiţi de tine însuţi. Poţi să-ţi pierzi conştiinţa de tine în Dumnezeu. Poţi să ajungi în punctul în care nu-ţi mai pasă de tine însuţi şi de ceea ce cred ceilalţi oameni. Poţi să fii total Dumnezeu-centrat.

Cum Să Fii Egocentric

Cea mai uşoară cale ca să devii egocentric e să-ţi spui: "Ei bine, am să mă uit pe mine însumi!" În momentul în care începi să te concentrezi pe tine însuţi şi să-ţi spui: "Eule, dă-te la o parte!" ţi-ai pus atenţia înapoi pe tine însuţi.

În mediul religios în care am fost crescut, am fost învăţat să: "mor faţă de mine însumi." Există un adevăr în Biblie despre muritul faţă de tine însuţi, dar ideea pe care o aveam despre cum trebuia să o faci probabil că va suna stupid. Îl căutam pe Dumnezeu din toată puterea,când am auzit pe cineva că pentru a muri faţă de sine însuşi, se imagina pe sine însuşi într-un scaun electric din cele folosite pentru omorârea criminalilor. În fiecare dimineaţă când mă trezeam, mă aşezam jos, şi îmi imaginam că mă legam în acel scaun electric. În timp ce mă legam, spuneam pe nume fiecărei caracteristici rele de-ale mele până când terminam de enumerat fiecare lucru rău despre mine. Continuam cu asta până realizam cât de groaznic eram. Prin aceasta, credeam că dădeam drumul electricităţii şi îmi răstigneam eul. Încercam să mor faţă de eul meu prin recunoaşterea a cât de mizerabil era eul meu. Dar nu a funcţionat. În final am realizat că încercând să mor faţă de mine însumi în felul acela, de fapt petreceam mai mult timp gândindu-mă la mine însumi şi focalizându-mi atenţia pe păcatul meu decât înainte. Eram mai egocentric ca niciodată!

Eram atât de religios încât mulți mă băteau pe umăr, felicitându-mă pentru cât de umil trebuie să fi fost ca să mă simt atât de jos. Mulți oameni cred că mândria înseamnă să gândești: "Sunt mai bun decât toți ceilalți. Nimeni nu e la fel de bun ca mine." Aceasta este o formă de mândrie, dar a spune: "O, sunt cea mai jalnică ființă care a umblat vreodată pe pământ!"este o formă și mai mare de mândrie.

Majoritatea creștinilor gândesc: "Păi, frate, aceasta nu este mândrie - aceasta e altceva." Nu, în cei mai simpli termeni, mândria este egocentrism. Și fie că ești egocentric gândind: "Sunt mai bun decât toți ceilalți" fie că ești egocentric gândind: "Sunt mai prejos decât oricine altcineva" tot egocentric rămâi. Și egocentrismul este mândrie.

Poți să devii mai egocentric gândind că ești gunoiul pământului decât ai fi putut să devii așa vreodată gândind că ești mai bun decât toți ceilalți. Aceasta pentru că e mult mai ușor să crezi că ești mai prejos decât toți ceilalți decât că ești mai presus decât toți ceilalți. Este ușor să presupui că în cele din urmă vei întâlni pe cineva mai bun decât tine, dar dacă te subapreciezi cu adevărat, poți să crezi că nu vei întâlni niciodată pe cineva mai prejos decât tine! Sau cel puțin nu vei ști că cineva e mai prejos decât tine, pentru că tu crezi că te cunoști mai bine decât cunoști cealaltă persoană!

Cum Să Pierzi Egocentrismul

În loc de a muri față de mine însumi, de fapt îmi înviam și îmi glorificam eul prin faptul că îmi focalizam atenția asupra mea. Calea de a muri față de eu este să îți pui atât de mult atenția asupra altcuiva încât să uiți de tine însuți - ca atunci când te îndrăgostești.

Când te îndrăgostești de o persoană, devii atât de conștient de ea încât uiți complet de tine însuți. Vei spune și vei face lucruri pe care nu le-ai face niciodată în condiții normale. Când ești îndrăgostit, poți să devii atât de conștient de cealaltă persoană că pur și simplu uiți de tine însuți.

Obișnuiam să torn ciment înainte de a deveni pastor. Șeful meu era creștin și cel mai bun prieten al meu era și el în echipă. Conduceam probabil, în medie, o persoană pe zi la Domnul - șoferi de camioane pentru ciment, oameni care ne vindeau băuturi răcoritoare, și alții. Dar majoritatea muncitorilor din echipă nu erau salvați, și le împărtășeam în mod constant evanghelia. Pur și simplu nu se puteau împăca cu faptul că eram atât de "puritan", și încercau tot timpul să găsească ceva greșit la mine. Încercau tot timpul să îmi facă viața grea. Când am început să mă întâlnesc prima dată cu Jamie, soția mea și ne-am logodit în vederea căsătoriei, pur și simplu nu puteau să creadă că mă păstram curat și pur în toată relația mea cu ea. Îmi făceau viața grea în fiecare zi la muncă: "Oho, ați ieșit în oraș și v-ați sărutat aseară!" Mă acuzau tot timpul, mă luau în râs, și încercau să mă înfurie.

Adevărul este că Jamie și cu mine ne-am logodit în vederea căsătoriei înainte de a ne fi ținut vreodată de mână. A fost uimitor felul în care Dumnezeu ne-a pus împreună, și eram atât de evident îndrăgostit de ea încât băieții din echipă mă tachinau încontinuu. Așa că evitam subiectul și încercam să nu o menționez sau să vorbesc despre Jamie deloc la muncă. Într-o zi de caniculă fățuiam cimentul într-un loc unde urma să fie instalată o fereastră. În timp ce munceam, apa plutea pe deasupra cimentului încât puteam să-mi văd reflecția feței în ea. În timp ce munceam acolo aplecat, am realizat că spuneam: "Jamie, te iubesc," o dată și încă o dată. O spuneam cu voce tare. La început doar gândeam, dar apoi am început să o spun: "Jamie, te iubesc." Apoi m-am uitat jos la apă și am văzut nu numai fața mea, dar alte fețe în jurul meu! După acel moment, chiar că mi-au făcut viața grea! Nu aș fi spus niciodată așa ceva dacă aș fi fost conștient de mine însumi. Dar eram atât de cufundat în a mă gândi la Jamie încât pur și simplu am pierdut conștiința de mine însumi. Știi că așa ar trebui să fie cu Dommul în viața ta? Felul în care mori față de tine însuți nu este prin a gândi: "Mizerabil ce sunt!" și a-ți focaliza atenția asupra ta însuți. Felul de a muri față de tine însuți este să te gândești atât de mult la Dumnezeu și la cine este El că pur și simplu îți pierzi conștiința de tine. Poți să-ți pierzi conștiința de tine în Dumnezeu. Pe 23 martie 1968, am trăit o experiență cu Domnul, prin care Dumnezeu mi-a schimbat viața. Am devenit atât de absorbit de cât de mult mă iubea Dumnezeu încât pot spune fără să exagerez că am pierdut contactul conștient cu lumea. Au trecut patru luni și jumătate până să-mi amintesc că există televiziune și radio. Nici măcar nu eram conștient de ceea ce făceam. Am devenit total străin de mine însumi.

Sunt un introvertit din fire. Când eram la liceu, dacă cineva îmi spunea "bună dimineața" era deja la două blocuri mai încolo până reușeam să-i răspund înapoi "bună dimineața!" Pur și simplu nu puteam să vorbesc sau să fiu social cu oamenii, atât de introvertit ce eram. Și totuși, când am văzut cât de mult mă iubea Dumnezeu, am devenit atât de absorbit de dragostea Lui și de ceea ce a făcut pentru mine încât nici măcar nu m-am mai gândit la mine însumi. M-am schimbat până la punctul în care apucam de mânecă oamenii care ieșeau din supermaketuri dacă aveau în mână un pachet de țigări sau un bax de bere și le spuneam: "Tu te îndrepți către iad și ai nevoie de Isus!" Și făceam aceasta în prezența tuturor celorlalți care erau în jur. Acum, aceasta nu e cea mai bună cale de a evangheliza, și Dumnezeu mi-a dat înțelepciune de atunci încoace, dar ceea ce vreau să spun e că s-a petrecut o transformare totală în mine. Am uitat total de mine însumi, prin recunoașterea a cât de mult mă iubea Dumnezeu. Dragostea lui Dumnezeu mi-a transformat viața. Legea Vechiului Testament nu a făcut niciodată aceasta. Legea nu m-a schimbat niciodată. Legea m-a făcut doar conștient de cât de păcătos eram pentru că era o administrare a morții și condamnării. Legea m-a ținut de la a face anumite păcate, dar am rămas total egocentric. Și a fi prins în egocentrism este robie.

Dumnezeu m-a eliberat prin revelarea dragostei Sale necondiționate. Dragostea nu m-a încurajat să trăiesc în păcat. De fapt, am început să trăiesc o viață chiar mai sfântă decât trăiam înainte. Am trăit o viață mai sfântă, dar deosebirea era că acum o făceam din cauza dragostei pentru Dumnezeu în loc de a o face în încercarea de a câștiga binecuvântările lui Dumnezeu.

Dragostea lui Dumnezeu

Dacă înțelegi ce vreau să spun, atunci vei înțelege că a ieși din Legea Vechiului Testament nu te va elibera ca să păcătuiești – te va elibera de păcat. Păcatele pe care le-ai comis nu te vor mai apăsa sau să te facă să te simți învins și negativ. Dragostea lui Dumnezeu va arunca tot acel păcat înapoia ta. Dragostea lui Dumnezeu va zdrobi stăpânirea acelui păcat peste tine așa încât să poți să începi să cauți și să urmărești voia Sa pentru viața ta. Laudă lui Dumnezeu!

> Însă atunci când Cristos, ca Mare Preot al lucrurilor bune care au venit, a intrat în cortul mai mare și perfect care nu este făcut de mâini – adică nu este parte a acestei creații – nu cu sânge de capre și de viței, ci cu propriul Lui sânge, a intrat o dată pentru totdeauna în Locul Preasfânt, obținând astfel o răscumpărare veșnică.
>
> Dacă sângele caprelor și al boilor și stropirea cu cenușa unei juninci îi sfințește pe cei pângăriți (având în vedere curățirea trupului), cu cât mai mult sângele lui Cristos – Care, prin Duhul veșnic, S-a dat pe Sine, fără pată, lui Dumnezeu – va curăți conștiința noastră de faptele moarte, pentru a ne închina Dumnezeului celui Viu!
>
> ***Evrei 9:11-14***

Isus a intrat o dată în Locul Preasfânt. Nu a intrat de mai multe ori, ci o dată, și a obținut răscumpărare veșnică pentru noi. Acest lucru este important . Apoi versetul 13 vorbește despre perioada Vechiului Testament. Acele sacrificii puteau să ispășească pentru păcatele credincioșilor Vechiului Testament, dar ele nu puteau să le purifice spiritele.

Ca să fii centrat-pe-Dumnezeu în loc de a fi egocentric, trebuie să ai conștiința purificată de faptele moarte, de sentimente de vinovăție, condamnare și inadecvare. Doar sacrificiul lui Isus e complet capabil să facă aceasta.

În carne, recunosc că sunt inadecvat, dar în spiritul omului dinlăuntru, Dumnezeu m-a echipat și am tot ceea ce Isus a prevăzut. Creștinii umblă în diferite grade ale acelei puteri, dar toți credincioșii au echipamentul standard. Dumnezeu nu are modele cu echipament minim. Noi toți am început cu aprovizionare completă pentru orice, prin Isus. Din cauza aceasta, putem și ar trebui să avem conștiințele noastre purificate de faptele moarte. Ar trebui să fim purificați de conștiența-de-păcat și de conștiența-de-sine și să fim total Dumnezeu-conștienți.

> Legea are doar o umbră a lucrurilor bune care urmează să vină, nu înfățișarea propriu-zisă a lucrurilor. De aceea, ea nu poate niciodată, prin aceleași jertfe, care sunt aduse an de an, să-i desăvârșească pe cei care se apropie.
>
> Altfel, oare n-ar fi încetat ele să fie aduse, dacă cei care se închină ar fi fost curățiți o dată pentru totdeauna și n-ar mai fi avut conștiența păcatului?
>
> Evrei 10:1,2

Dacă sacrificiile Vechiului Testament ar fi putut să facă cu adevărat ceea ce reprezentau, atunci ar fi încetat de a mai fi oferite. Imaginea care a fost dată prin sacrificiile Vechiului Testament a fost o curățire de păcate. Dacă acele sacrificii ar fi funcționat într-adevăr, atunci ar fi încetat de a mai fi oferite pentru că adoratorii ar fi fost purificați și nu ar mai fi avut o conștiență a păcatului lor.

> Însă aceste jertfe amintesc anual de păcate, pentru că este imposibil ca sângele boilor și al caprelor să îndepărteze păcatul. De aceea când vine în lume, El spune: „Tu nu ai dorit nici jertfă, nici dar de mâncare, ci Mi-ai pregătit un trup. Ție nu Ți-au plăcut nici arderile de tot, nici jertfele pentru păcat. Atunci am zis: «Iată că vin – în sulul cărții este scris

despre Mine – ***vin*** să fac voia Ta, Dumnezeule.»" După ce a zis, mai sus: „Tu nu ai dorit, nici nu Ți-au plăcut jertfe, daruri de mâncare, arderi de tot și jertfe pentru păcat" - care sunt aduse potrivit cu Legea – a adăugat: „Iată că vin să fac voia Ta." A dat astfel la o parte prima ordine pentru a o instaura pe a doua.

Hebrews 10:3-9

Ca să rezumăm acest pasaj al Scripturii, ceea ce sacrificiile Vechiului Testament nu au putut să facă, Isus a făcut! Dacă sacrificiile Vechiului Testament ar fi putut să funcționeze, ți-ar fi purificat conștiința în așa măsură încât nu ai mai fi avut conștiență sau realizare a păcatului. Sacrificiile Vechiului Testament nu au putut să o facă, dar sacrificiul din Noul Testament al lui Isus a făcut-o.

Moștenirea ta prin Isus este că poți să fii atât de Dumnezeu - conștient, atât de iubit, atât de iertat, și atât de curățat de păcatul tău, că ești capabil să te apropii de Dumnezeu fără nici o conștientizare a păcatului.

Unii oameni ar putea să spună "Ah, frate, pur și simplu nu mă pot raporta la aceasta. Cred că atunci când venim înaintea lui Dumnezeu trebuie să începem să ne mărturisim păcatele." Știți de ce rugăciunea este o corvoadă pentru majoritatea oamenilor? Pentru că în loc de a veni în părtășie cu Dumnezeu să Îl adore pentru cine este El, ei vin și imediat încep să-i spună cine sunt și ce au făcut greșit – trăgând în sus tot acest gunoi vechi reamintindu-și lor însăși cât de putrezi și nevrednici sunt. Ca rezultat, timpul lor de rugăciune nu e chiar plăcut. După puțină vreme, va fi o corvoadă. Oricine va urmări mai degrabă un meci de fotbal decât să intre în rugăciune și să-și aducă aminte cât de putred este tot timpul. Poate chiar ai ceva pentru care ai nevoie să te rogi, dar te uiți la un joc cu mingea în schimb. De ce? Pentru că între fiecare repriză comentatorii nu spun: "Nenorocitule! Ai păcătuit împotriva lui Dumnezeu. Nu ți-ai plătit zeciuiala săptămâna aceasta. Nu ai trăit corect. Nu ți-ai tratat soția așa cum ar fi trebuit și nu ai petrecut timp cu copiii." Dacă comentatorii sportivi ar începe să îți spună fiecare lucru rău despre tine între reprize, ai închide televizorul. Iar reclamele, de asemenea, te flatează. Ele caută să-ți spună orice te-ar putea face să te simți bine încât să le cumperi produsele. De obicei te fac să râzi și să te simți bine, așa că mai degrabă vei evada în televiziune decât să auzi cât de putred ești în rugăciune.

Câteodată este necesar să îți mărturisești păcatele, dar nu e niciodată plăcut. Și îți garantez, dacă relația ta cu Dumnezeu întotdeauna se învârte în jurul la a veni înaintea Lui și a-i spune cât de nenorocit ești, atunci nu îți va place să îți petreci timpul cu El.

Dumnezeu nu dorește asta, dar acesta este modul în care majoritatea noastră am fost condiționați să gândim. Dacă aceasta este atitudinea pe care ai adoptat-o, diavolul nu trebuie să te condamne pentru că deja faci o treabă bună în a te condamna pe tine însuți!

Mulți dintre noi am fost atât de religios educați încât atunci când venim în rugăciune, ne întindem pe noi înșine pe jos ca pe un preș, ne tratăm în ultimul hal, scuipăm pe noi înșine și vorbim despre cât de îngrozitori și de putrezi suntem. Apoi ne întrebăm de ce nu ne place prezența lui Dumnezeu mai mult! Dacă nu ai făcut-o deja, de ce nu vii în prezența Sa, lasă-L să te iubească, și pur și simplu să începi să-L lauzi pentru cine este El chiar acum? Tu ești copilul Său și El te iubește – indiferent de ceea ce s-a întâmplat după ultima dată când te-ai rugat!

Încheiere

Ceea ce am prezentat este în realitate foarte simplu și fiecare creștin are nevoie să cunoască. E trist să o spunem, dar cred că nu mai mult decât unul dintr-o mie de creștini are acest concept precis despre natura lui Dumnezeu.

Mulți dintre noi ne-am apropiat de Dumnezeu fără a recunoaște răscumpărarea și ceea ce a făcut într-adevăr Isus pentru noi. Eram constant înțepeniți în modalitatea încercării de a fi performanți. Și imediat ce Satan a indicat ceva ce am făcut greșit, am început să ne condamnăm pe noi înșine și să spunem: "Doamne, știu de ce nu mergea." Ne puneam credința în ceea ce noi făceam în loc să ne punem credința în ceea ce a făcut Isus.

Știi de ce a fost atât de ușor pentru tine să te naști din nou? Pentru că ți s-a spus că era total bazat pe ceea ce Isus a făcut pentru tine – nu a fost bunătatea ta, studiul biblic, rugăciunea, mersul la biserică, sau zeciuielile care te-au calificat ca să primești salvarea. Era total bazat pe ceea ce a făcut Isus, pe meritele Sale și doar pe bunătatea Sa. Așa că ai fost în stare să îți pui credința în Isus, indiferent de cât de rău erai, și să primești cel mai mare miracol care s-ar fi putut întâmpla vreodată.

Dar când este vorba de vindecare, prosperitate, sau eliberare, avem tendința de a ne uita la ceea ce am făcut și să spunem: "Doamne, am făcut cât am putut de bine, este de-ajuns?" Nu, nu e deajuns și nu va fi niciodată! Am studiat Cuvântul, ne-am rugat în limbi, și am făcut tot soiul de lucruri spirituale pe care trebuia să le facem. Dar avem nevoie să le facem ca să ne zidim pe noi înșine și să îl cunoaștem pe El mai bine, nu să încercăm să-L facem pe El să vrea să ne binecuvinteze sau ca să îi dăm o impresie mai bună despre noi. Ar trebui să facem aceste lucruri ca să rămânem tari și să terminăm în tărie această cursă spirituală. Motivul pentru care proclam Cuvântul lui Dumnezeu sau mă rog în limbi nu e de a-L mișca pe Dumnezeu, ci de a mă mișca pe mine mai aproape de El. Sfințenia nu schimbă atitudinea lui Dumnezeu față de mine, dar schimbă atitudinea mea față de El.

> Ei l-au învins prin sângele Mielului și prin cuvântul mărturiei lor; ei nu și-au iubit viața, chiar până la moarte.
>
> Apocalipsa 12:11

Am învins diavolul prin sângele Mielului, și prin cuvântul mărturiei mele (sau declararea credinței în acel sânge). Nu l-am învins pe diavol pentru că l-am impresionat pe Dumnezeu cu faptele mele. Nu-L determin pe Dumnezeu să facă nimic prin rugăciunile mele și El nu este impresionat cu marea mea abilitate de a confesa Cuvântul Său. Am cunoscut oameni care nici măcar nu știau cum să declare Cuvântul lui Dumnezeu dar ei au văzut miracole întâmplându-se pentru că inimile lor erau potrivite. Primitul de la Dumnezeu va funcționa mai bine dacă ai și inima potrivită și declari și Cuvântul lui Dumnezeu, dar Dumnezeu se uită în primul rând la inimă.

Motivul pentru care oamenii sunt capabili să primească lucruri de la Dumnezeu așa de ușor când sunt salvați e pentru că credința lor e toată în Isus. Dar după ce ne naștem din nou, avem tendința de a începe să ne încredem în noi înșine, și aceasta e robie. Sunt convins că chiar dacă oamenii și-au dedicat viețile lor Domnului, sunt născuți din nou, și știu că Dumnezeu îi iubește, ei nu experimentează acea dragoste pentru că umblă în ceea ce au făcut în loc de a umbla în dragostea lui Dumnezeu față de ei.

Te descrie aceasta pe tine? Îl vezi pe Isus iubindu-te necondiționat? Sau, simți că Isus te iubește în proporție cu ceea ce "meriți"? Dacă simți că nu meriți mult, atunci nu te vei deschide ca să-L lași pe Dumnezeu să te iubească cu adevărat. Dumnezeu vrea să ne cheme într-un loc secret de apropiată, intimă comuniune cu El. El tânjește după aceasta. Dumnezeu tânjește după tine, dar probabil că tu nu ți-ai permis ție însuți să te apropii de Dumnezeu pentru că nu te simți demn. Probabil crezi că dacă chiar ai ajunge atât de aproape, ai fi ca un ipocrit venind înaintea Lui și El te va pedepsi, te va certa, și-ți va spune "Cum îndrăznești să crezi că ai dreptul să intri în prezența Mea, vierme nenorocit?" Poate că nu o exprimi în exact aceleași cuvinte, dar probabil că aceasta este concepția ta. Ascultă asta: Dumnezeu se uită la inima ta. Dumnezeu se uită la omul spiritual dinlăuntrul tău. Și în omul tău spiritual, tu ești drept, sfânt, și pur! Poți să vii să te proțăpești pe picioare înaintea lui Dumnezeu și să spui: "Tati, Tată" sau "Abba, Tată." Poți să te relaționezi cu El într-un fel intim, personal.

Dumnezeu te iubește, și mulți dintre noi am fost ținuți în afara acelei relații intime din cauza unei conștiențe a păcatului – conștiința noastră își amintește și e obsedată de păcatul nostru. Ne-am privit pe noi înșine ca și păcătoși când Biblia redă clar că dacă într-adevăr am înțeles răscumpărarea, nu ar trebui să mai avem conștiință a păcatului.

> Așadar, să ne apropiem cu îndrăzneală de tronul harului, ca să primim îndurare și să găsim har care să ne ajute la timpul potrivit.
>
> ***Evrei 4:16***

Poți să vii cu îndrăzneală înaintea tronului harului ca să primești îndurare și ajutor în momentele în care ai nevoie, nu doar când ești perfect și totul merge așa cum trebuie, dar chiar în momentul în care ai dat-o în bară și ești în încurcătură. Este tronul harului, nu tronul faptelor sau tronul performanței perfecte. Poți să faci asta chiar acum și să-L lași pe Dumnezeu să înceapă să te iubească.

Da, poate că ai nevoie să te umilești înaintea lui Dumnezeu, spunând ceva de genul "Tată, îmi pare rău. Am făcut totul prin propriul meu efort. Te-am înțeles greșit. Am crezut că trebuie să câștig binecuvântările Tale. Am încercat să fac fapte ca să primesc ceva în schimb. Am crezut că îmi dai doar lucruri pe care le-am meritat și nu am depins de Isus. Am încercat să Te abordez pe baza meritului meu."

Mărturisește-I lui Dumnezeu, cazi înaintea Sa, și pocăiește-te, spunând: "Tată, îmi pare rău." Începe să-ți spui ție însuți ceea ce spune Cuvântul lui Dumnezeu. "Tată, îți mulțumesc că Tu mă iubești, că Tu mă vezi curat, pur și sfânt." Câteodată mă uit în oglindă, ochi în ochi cu mine însumi, mă indic cu degetul și spun: "Andrew, Dumnezeu te iubește. Ești sfânt. Ești pur, ca și cum nu ai fi păcătuit niciodată." E posibil ca atunci când vei spune prima dată aceasta, ți se va ridica părul de pe ceafă, pentru că te gândești: "O, Doamne, nu mă fulgera mortal pentru că am spus asta." Dar după un timp, în timp ce continui să o spui prin credință, știind că e Cuvântul lui Dumnezeu, te va mângâia și vei începe să o crezi. Vei începe să crezi că Dumnezeu te iubește într-adevăr și vei ajunge în punctul în care de-abia aștepți să intri chiar în sala tronului Său!

Dacă un înger ar sta în calea ta și ți-ar spune: "Ce te face să crezi că ești vrednic să intri aici?" ai putea să-l certi și să-i spui: "Dă-te din calea mea! Prin sângele lui Isus sunt drept, sunt sfânt, sunt pur, și sunt copilul lui Dumnezeu. Nu ai nici un drept să mă oprești." Când vii în prezența lui Dumnezeu, mulțumește-I că ești cine spune El că ești. Centrează-ți toate gândurile asupra Lui și lasă-L să te mângâie. Apoi vei începe să fii ca El și nu vei mai avea nici o dorință să trăiești în păcat. Vei începe să reflecți sfințenie și vei sfârși prin a trăi mai aproape de El. Dintr-odată, în loc să fie o corvoadă să încerci să te separi de televizor ca să petreci timp cu Dumnezeu, vei spune: "Cine are nevoie de televizor?" Vei descoperi că acele lucruri carnale le vei pierde pur și simplu pe drum. Vei descoperi că nu va fi greu să petreci timp studiind Cuvântul și rugându-te, pentru că îți petreci timpul cu El. Am citit o istorisire despre un om în vârstă care a trăit prin anii 1800. I-a spus servitorului său să vină să-l anunțe într-un sfert de oră când cina ar fi trebuit să fie gata. Bătrânul i-a spus: "Eu mă voi ruga în salon, așa că vino să mă iei după un sfert de oră." Trei ore și jumătate mai târziu, servitorul în sfârșit s-a forțat pe sine însuși să intre și să-l întrerupă pe acest om. Mâncarea era gata de câteva ore, dar bătrânul se ruga atât de intens în genunchi, cu mâinile înălțate în adorare față de Dumnezeu, că servitorul simțea că ar fi fost o bătaie de joc să-l întrerupă. În final, servitorul a intrat și l-a bătut pe umăr pe bătrân. Omul s-a întors spre el spunându-i. "Ah, deja au trecut cinsprezece minute? Ei, timpul zboară atât de repede când ești în prezența lui Dumnezeu."

Pentru majoritatea celor dintre noi, totuși, cincisprezece minute de rugăciune pot părea ca trei ore și jumătate! E pentru că nu am explorat cu adevărat dragostea lui Dumnezeu. Gândirea noastră greșită despre Dumnezeu ne-a oprit de la a înțelege dragostea Sa, iar tradițiile noastre religioase și conceptele incorecte despre Dumnezeu ne-au ținut la distanță de El.

Dacă înțelegi ceea ce am prezentat în această carte, te va ajuta să intri cu îndrăzneală în Sfânta Sfintelor printr-o cale nouă și vie pe care Dumnezeu a creat-o prin Isus. Îți va da îndrăzneală. Și în timp ce începi să te rogi și să stai în prietenie cu Dumnezeu, vei descoperi că a-L adora pentru o oră sau mai mult nu este o corvoadă, ci o plăcere. Este o plăcere pentru că știi ce a făcut Dumnezeu pentru tine. Știu că Dumnezeu vrea să te atragă spre El Însuși, chiar acum, în timp ce citești aceste cuvinte. Am învățat aici despre a avea o relație cu Dumnezeu, a locui în El, și a ajunge să-L cunoaștem cu adevărat. Poate că am abordat acest subiect într-un mod care ți s-a părut ciudat, dar sunt ferm încredințat că atunci când știi cu adevărat cum este Dumnezeu – natura, caracterul, și persoana Sa – îl vei iubi. Cred că singurul motiv pentru care tu și eu nu L-am iubit mai mult e că Dumnezeu a fost reprezentat greșit și noi L-am înțeles greșit. Din cauza aceasta, nu am intrat în acea relație apropiată de dragoste pe care El dorește să o aibă cu noi. Dacă putem să primim ceea ce este prezentat în această carte, știu că ne va elibera ca să ne bucurăm de o împlinitoare și total satisfăcătoare relație cu Tatăl nostru, Dumnezeu.

Despre autor

De peste patru decenii Andrew a călătorit în America și în lume învățând adevărul Evangheliei. Revelația sa profundă a Cuvântului lui Dumnezeu este învățată cu claritate și simplitate subliniind dragostea necondiționată a lui Dumnezeu și echilibrul dintre har și credință. El ajunge la milioane de oameni prin programele radio și de televiziune zilnice Adevărul Evangheliei, difuzate atât în America cât și internațional.

El a fondat Colegiul Biblic Charis în 1994 și de atunci a stabilit colegii CBC în alte orașe mari din America și din lume. Andrew a produs o bibliotecă de materiale pentru învățătură, disponibile sub formă de cărți, audio și în formate video. Așa cum a fost de la început, ministerul lui de slujire distribuie cd-uri gratis celor ce nu și le pot permite.